REMEDIOS NATURALES PARA

ARTRITIS Y REUMATISMO

REMEDIOS NATURALES PARA

ARTRITIS Y REUMATISMO

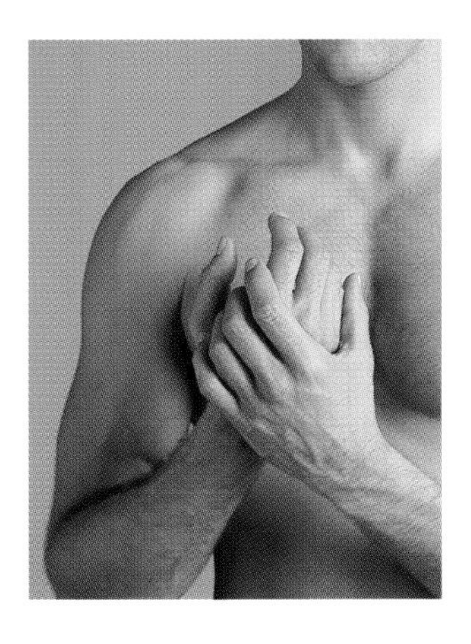

ANNE CHARLISH

ASESOR: DR. PETER FISHER

Madrid • Londres • Nueva York • San Francisco • Toronto • Tokio • Singapur • Hong Kong • París • Milán
Munich • México D.F. • Santafé de Bogotá • Buenos Aires • Caracas • Lima • San José • Panamá • Santiago

Remedios naturales para artritis y reumatismo
Publicado por Pearson Educación

Ribera del Loira, 28
28042 Madrid
www.pearsoneducacion.com
ISBN: 978-84-205-5485-3

Traducido de: *Alternative Answers to Arthritis & Rheumatism*

ISBN: 978-1-84013-931-0

TRADUCCIÓN:
M.ª Amparo Sánchez Hoyos
COORDINACIÓN EDITORIAL:
Adriana Gómez-Arnau
Irene Molina García
COORDINACIÓN DE PRODUCCIÓN:
José Antonio Clares

Impreso en Singapur - Printed in Singapore

Contenido

Introducción

Muchas personas consideran la artritis como una enfermedad de personas mayores, pero eso dista mucho de la realidad. La artritis puede surgir a cualquier edad, incluso durante la infancia. Esa es una razón de más para adoptar una actitud positiva hacia la búsqueda de remedios eficaces. El siglo XX ha sido testigo de considerables avances en el tratamiento de la artritis. Ya no hay motivo para afrontar un diagnóstico de artritis con la sensación o el temor de que supondrá pasar el resto de la vida en una silla de ruedas.

Este libro analiza las distintas opciones de tratamiento y alivio del dolor para quienes padecen artritis. Reflexiona sobre los tratamientos de la medicina convencional, sobre todo medicación, fisioterapia y cirugía. Analiza las terapias complementarias disponibles y selecciona las más adecuadas para los artríticos. Además, analiza nuestro estilo de vida actual, con especial atención a los medios para facilitar las actividades cotidianas a quienes padecen artritis.

Durante los diez últimos años se han producido grandes avances en el tratamiento de la artritis. Resulta interesante, por tanto, tener en cuenta las aproximaciones a los tratamientos en el futuro. Por ejemplo, existen muchas áreas en las que sabemos que los tratamientos van a sufrir cambios y desarrollos.

- Algunas técnicas quirúrgicas convencionales bien conocidas están desfasadas y la actual tendencia en cirugía es la de no reparar la articulación sino reemplazarla.
- La cirugía de sustitución de articulación se enfrenta actualmente a dos grandes retos. El primero es la necesidad de desarrollar articulaciones más duraderas. El segundo es encontrar modos más eficaces de fijar las

articulaciones a los huesos. Únicamente cuando se hayan cumplido ambos retos se podrá eliminar la necesidad de una segunda sustitución de articulación en la misma persona.

• La medicación será cada vez más específica para reducir los efectos secundarios, en número y en gravedad. La industria farmacéutica denomina a esos medicamentos "balas mágicas".

• Las terapias complementarias serán, seguramente, cada vez más populares. Algunas ya son recomendadas por médicos de familia y en clínicas hospitalarias para el tratamiento del dolor.

Muchas personas ya conocen los beneficios del masaje, la osteopatía, la acupuntura, la fitoterapia y la homeopatía, pero ¿qué sucede con las terapias complementarias más recientes? Para quienes sufren de artritis, las terapias suaves, como el tai chi y la cromoterapia se recomiendan sin reservas. Si nunca ha experimentado con las terapias complementarias, debería leer el capítulo 2 enseguida.

Muchas personas que sufren artritis se quejan amargamente del dolor asociado a la enfermedad. La mayoría aprende gradualmente a vivir con la incapacidad, o incluso con la inmovilidad, pero el dolor es una fuente constante de estrés, fatiga, depresión y frustración. Por este motivo, la mayoría de las terapias, así como las modificaciones físicas y en el entorno que se recomiendan en este libro son aquellas que más contribuyen al control y alivio del dolor de la artritis.

El futuro para los artríticos está lleno de esperanza, y este libro ayudará a sacar el mayor partido de los remedios disponibles para el control y tratamiento de la artritis.

Cómo utilizar este libro

Este libro se puede leer de varias maneras. Si lo lee entero, comprenderá lo que es la artritis, cómo los tratamientos complementarios y convencionales pueden ayudar al artrítico y qué se puede hacer día a día para controlar la enfermedad y el dolor asociado. Por otro lado, las referencias *Descubrir más de* le enseñarán todo lo necesario sobre un determinado aspecto de la enfermedad.

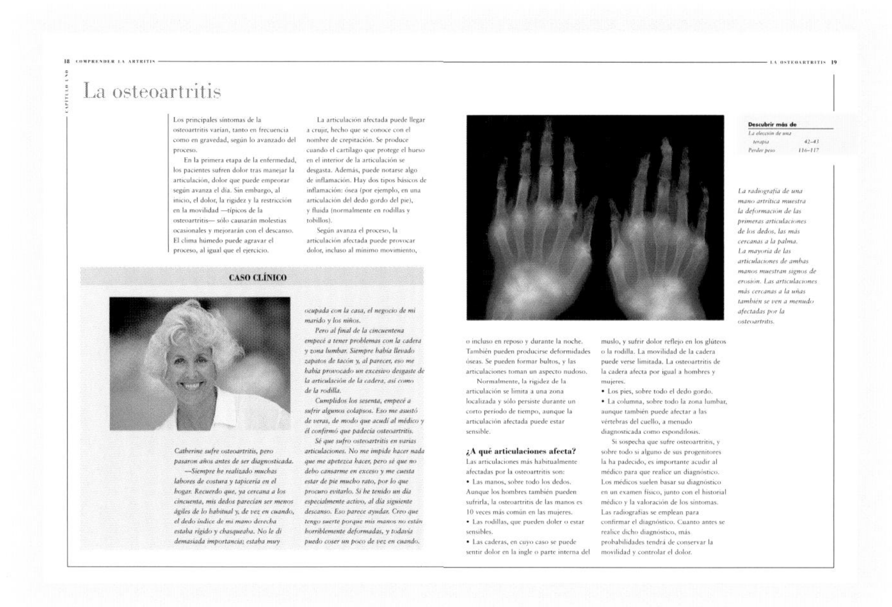
18 COMPRENDER LA ARTRITIS

CAPÍTULO UNO

La osteoartritis

Los principales síntomas de la osteoartritis varían, tanto en frecuencia como en gravedad, según lo avanzado del proceso.

En la primera etapa de la enfermedad, los pacientes sufren dolor tras manejar la articulación, dolor que puede empeorar según avanza el día. Sin embargo, al inicio, el dolor, la rigidez y la restricción en la movilidad —típicos de la osteoartritis— sólo causarán molestias ocasionales y mejorarán con el descanso. El clima húmedo puede agravar el proceso, al igual que el ejercicio.

La articulación afectada puede llegar a crujir, hecho que se conoce con el nombre de crepitación. Se produce cuando el cartílago que protege el hueso en el interior de la articulación se desgasta. Además, puede notarse algo de inflamación. Hay dos tipos básicos de inflamación: ósea (por ejemplo, en una articulación del dedo gordo del pie), y fluida (normalmente en rodillas y tobillos).

Según avanza el proceso, la articulación afectada puede provocar dolor, incluso al mínimo movimiento, o incluso en reposo y durante la noche. También pueden producirse deformidades óseas. Se pueden formar bultos, y las articulaciones toman un aspecto nudoso.

Normalmente, la rigidez de la articulación se limita a una zona localizada y sólo persiste durante un corto período de tiempo, aunque la articulación afectada puede estar sensible.

¿A qué articulaciones afecta?

Las articulaciones más habitualmente afectadas por la osteoartritis son:

• Las manos, sobre todo los dedos. Aunque los hombres también pueden sufrirla, la osteoartritis de las manos es 10 veces más común en las mujeres.

• Las rodillas, que pueden doler o estar sensibles.

• Las caderas, en cuyo caso se puede sentir dolor en la ingle o parte interna del muslo, y sufrir dolor reflejo en los glúteos o la rodilla. La movilidad de la cadera puede verse limitada. La osteoartritis de la cadera afecta por igual a hombres y mujeres.

• Los pies, sobre todo el dedo gordo.

• La columna, sobre todo la zona lumbar, aunque también puede afectar a las vértebras del cuello, a menudo diagnosticada como espondilosis.

Si sospecha que sufre osteoartritis, y sobre todo si alguno de sus progenitores la ha padecido, es importante acudir al médico para que realice un diagnóstico. Los médicos suelen basar su diagnóstico en un examen físico, junto con el historial médico y la valoración de los síntomas. Las radiografías se emplean para confirmar el diagnóstico. Cuanto antes se realice dicho diagnóstico, más probabilidades tendrá de conservar la movilidad y controlar el dolor.

CASO CLÍNICO

Catherine sufre osteoartritis, pero pasaron años antes de ser diagnosticada.

—Siempre he realizado muchas labores de costura y tapicería en el hogar. Recuerdo que, ya cercana a los cincuenta, mis dedos parecían ser menos ágiles de lo habitual y, de vez en cuando, el dedo índice de mi mano derecha estaba rígido y chasqueaba. No le di demasiada importancia; estaba muy ocupada con la casa, el negocio de mi marido y los niños.

Pero al final de la cincuentena empecé a tener problemas con la cadera y zona lumbar. Siempre había llevado zapatos de tacón y, al parecer, eso me había provocado un excesivo desgaste de la articulación de la cadera, así como de la rodilla.

Cumplidos los sesenta, empecé a sufrir algunos colapsos. Eso me asustó de veras, de modo que acudí al médico y él confirmó que padecía osteoartritis.

Sé que sufro osteoartritis en varias articulaciones. No me impide hacer nada que me apetezca hacer, pero sé que no debo cansarme en exceso y me cuesta estar de pie mucho rato, por lo que procuro evitarlo. Si he tenido un día especialmente activo, al día siguiente descanso. Eso parece ayudar. Creo que tengo suerte porque mis manos no están horriblemente deformadas, y todavía puedo coser un poco de vez en cuando.

La radiografía de una mano artrítica muestra la deformación de las primeras articulaciones de los dedos, las más cercanas a la palma. La mayoría de las articulaciones de ambas manos muestran signos de erosión. Las articulaciones más cercanas a la uñas también se ven a menudo afectadas por la osteoartritis.

Descubrir más de

La elección de una terapia 42–43

Perder peso 116–117

LA OSTEOARTRITIS 19

1 *El capítulo 1 describe las diferentes enfermedades agrupadas bajo el término "artritis", explica su frecuencia, y cuáles son los grupos más afectados. Asimismo, repasa el actual estado de conocimientos sobre la causa de la artritis.*

2 *El capítulo 2 repasa las terapias complementarias, de posible utilidad para los artríticos. Entre ellas se incluyen terapias con movimientos suaves, como el tai chi que nos permite mantener y mejorar nuestra movilidad, así como terapias que contribuyen a aliviar el dolor, como la acupuntura o la fitoterapia. En cada caso se explica la filosofía subyacente, así como su relevancia para los artríticos.*

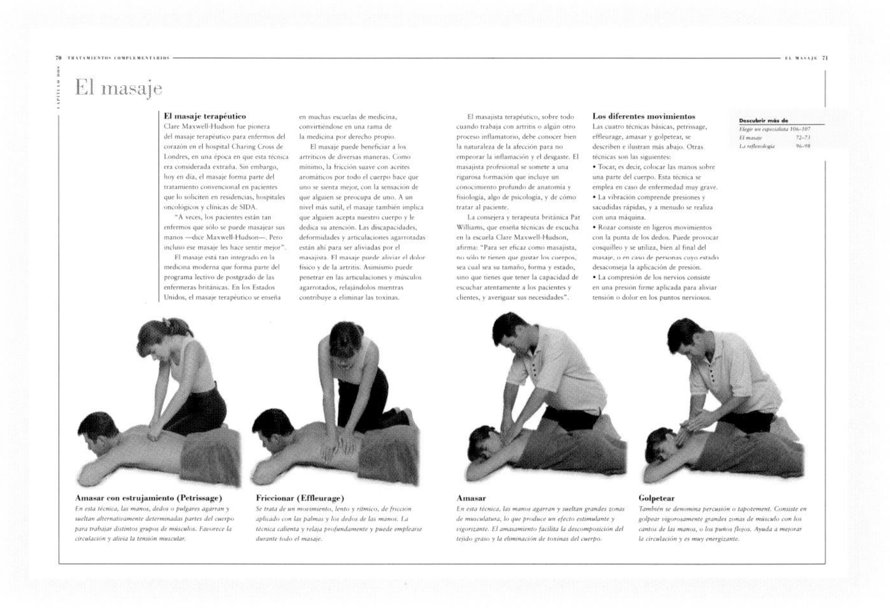
70 TRATAMIENTOS COMPLEMENTARIOS

CAPÍTULO DOS

El masaje

El masaje terapéutico

Clare Maxwell-Hudson fue pionera del masaje terapéutico para enfermos del corazón en el hospital Charing Cross de Londres, en una época en que esta técnica era considerada extraña. Sin embargo, hoy en día, el masaje forma parte del tratamiento convencional en pacientes que lo soliciten en residencias, hospitales oncológicos y clínicas de SIDA.

"A veces, los pacientes están tan enfermos que sólo se puede masajear sus manos —dice Maxwell-Hudson—. Pero incluso ese masaje les hace sentir mejor".

El masaje está tan integrado en la medicina moderna que forma parte del programa lectivo de postgrado de las enfermeras británicas. En los Estados Unidos, el masaje terapéutico se enseña en muchas escuelas de medicina, convirtiéndose en una rama de la medicina por derecho propio.

El masaje puede beneficiar a los artríticos de diversas maneras. Como mínimo, la fricción suave con aceites aromáticos por todo el cuerpo hace que uno se sienta mejor, con la sensación de que alguien se preocupa de uno. A un nivel más sutil, el masaje también implica que alguien acepta nuestro cuerpo y le dedica su atención. Las discapacidades, deformidades y articulaciones agarrotadas están ahí para ser aliviadas por el masajista. El masaje puede aliviar el dolor físico y de la artritis. Asimismo puede penetrar en las articulaciones y músculos agarrotados, relajándolos mientras contribuye a eliminar las toxinas.

El masajista terapéutico, sobre todo cuando trabaja con artritis o algún otro proceso inflamatorio, debe conocer bien la naturaleza de la afección para no empeorar la inflamación y el desgaste. El masajista profesional se somete a una rigurosa formación que incluye un conocimiento profundo de anatomía y fisiología, algo de psicología, y de cómo tratar al paciente.

La consejera y terapeuta británica Pat Williams, que enseña técnicas de escucha en la escuela Clare Maxwell-Hudson, afirma: "Para ser eficaz como masajista, no sólo te tienen que gustar los cuerpos, sea cual sea su tamaño, forma y estado, sino que tienes que tener la capacidad de escuchar atentamente a los pacientes y clientes, y averiguar sus necesidades".

Los diferentes movimientos

Las cuatro técnicas básicas, petrissage, effleurage, amasar y golpetear, se describen e ilustran más abajo. Otras técnicas son las siguientes:

• Tocar, es decir, colocar las manos sobre una parte del cuerpo. Esta técnica se emplea en caso de enfermedad muy grave.

• La vibración comprende presiones y sacudidas rápidas, y a menudo se realiza con una máquina.

• Rozar consiste en ligeros movimientos con la punta de los dedos. Puede provocar cosquilleo y se utiliza, bien al final del masaje, o en caso de personas cuyo estado desaconseja la aplicación de presión.

• La compresión de los nervios consiste en una presión firme aplicada para aliviar tensión o dolor en los puntos nerviosos.

Descubrir más de

Elegir un especialista 106–107

El masaje 72–73

La reflexología 96–98

Amasar con estrujamiento (Petrissage)

En esta técnica, las manos, dedos o pulgares agarran y sueltan alternativamente determinadas partes del cuerpo para trabajar distintos grupos de músculos. Favorece la circulación y alivia la tensión muscular.

Friccionar (Effleurage)

Se trata de un movimiento, lento y rítmico, de fricción aplicado con las palmas y los dedos de las manos. La técnica calienta y relaja profundamente y puede emplearse durante todo el masaje.

Amasar

En esta técnica, las manos agarran y sueltan grandes zonas de musculatura, lo que produce un efecto estimulante y vigorizante. El amasamiento facilita la descomposición del tejido graso y la eliminación de toxinas del cuerpo.

Golpetear

También se denomina percusión o tapotement. Consiste en golpear vigorosamente grandes zonas de músculo con los cantos de las manos, o los puños flojos. Ayuda a mejorar la circulación y es muy energizante.

EL MASAJE 71

3 El capítulo 3 considera el enfoque convencional al tratamiento y cuidados de la artritis. Incluye desde las terapias prácticas, como la fisioterapia o la terapia ocupacional, personalizadas para cada paciente, hasta la cirugía. La sustitución de articulación, por ejemplo, mejora la movilidad, libera del dolor y aumenta la calidad de vida.

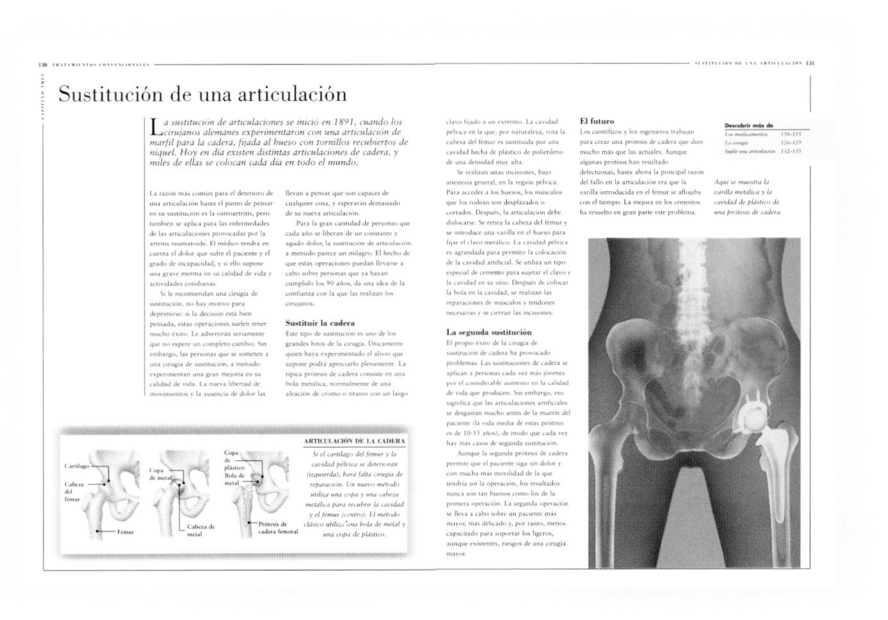

130 TRATAMIENTOS CONVENCIONALES — SUSTITUCIÓN DE UNA ARTICULACIÓN 131

CAPÍTULO TRES

Sustitución de una articulación

La sustitución de articulaciones se inició en 1891, cuando los cirujanos alemanes experimentaron con una articulación de marfil para la cadera, fijada al hueso con tornillos recubiertos de níquel. Hoy en día existen distintas articulaciones de cadera, y miles de ellas se colocan cada día en todo el mundo.

La razón más común para el deterioro de una articulación hasta el punto de pensar en su sustitución es la osteoartritis, pero también se aplica para las enfermedades de las articulaciones provocadas por la artritis reumatoide. El médico tendrá en cuenta el dolor que sufre el paciente y el grado de incapacidad, y si ello supone una grave merma en su calidad de vida y actividades cotidianas.

Si le recomiendan una cirugía de sustitución, no hay motivo para deprimirse: si la decisión está bien pensada, estas operaciones suelen tener mucho éxito. Le advertirán seriamente que no espere un completo cambio. Sin embargo, las personas que se someten a una cirugía de sustitución, a menudo experimentan una gran mejoría en su calidad de vida. La nueva libertad de movimientos y la ausencia de dolor las llevan a pensar que son capaces de cualquier cosa, y esperarán demasiado de su nueva articulación.

Para la gran cantidad de personas que cada año se liberan de un constante y agudo dolor, la sustitución de articulación a menudo parece un milagro. El hecho de que estas operaciones puedan llevarse a cabo sobre personas que ya hayan cumplido los 90 años, da una idea de la confianza con la que las realizan los cirujanos.

Sustituir la cadera

Este tipo de sustitución es uno de los grandes hitos de la cirugía. Únicamente quien haya experimentado el alivio que supone podrá apreciarlo plenamente. La típica prótesis de cadera consiste en una bola metálica, normalmente de una aleación de cromo o titanio con un largo clavo fijado a un extremo. La cavidad pélvica en la que, por naturaleza, rota la cabeza del fémur es sustituida por una cavidad hecha de plástico de polietileno de una densidad muy alta.

Se realizan unas incisiones, bajo anestesia general, en la región pélvica. Para acceder a los huesos, los músculos que los rodean son desplazados o cortados. Después, la articulacion debe dislocarse. Se retira la cabeza del fémur y se introduce una varilla en el hueso para fijar el clavo metálico. La cavidad pélvica es agrandada para permitir la colocación de la cavidad artificial. Se utiliza un tipo especial de cemento para sujetar el clavo y la cavidad en su sitio. Después de colocar la bola en la cavidad, se realizan las reparaciones de músculos y tendones necesarias y se cierran las incisiones.

La segunda sustitución

El propio éxito de la cirugía de sustitución de cadera ha provocado problemas. Las sustituciones de cadera se aplican a personas cada vez más jóvenes por el considerable aumento en la calidad de vida que producen. Sin embargo, eso significa que las articulaciones artificiales se desgastan mucho antes de la muerte del paciente (la vida media de estas prótesis es de 10-15 años), de modo que cada vez hay más casos de segunda sustitución.

Aunque la segunda prótesis de cadera permite que el paciente siga sin dolor y con mucha más movilidad de la que tendría sin la operación, los resultados nunca son tan buenos como los de la primera operación. La segunda operación se lleva a cabo sobre un paciente más mayor, más delicado y, por tanto, menos capacitado para soportar los ligeros, aunque existentes, riesgos de una cirugía mayor.

El futuro

Los científicos y los ingenieros trabajan para crear una prótesis de cadera que dure mucho más que las actuales. Aunque algunas prótesis han resultado defectuosas, hasta ahora la principal razón del fallo en la articulación era que la varilla introducida en el fémur se aflojaba con el tiempo. La mejora en los cementos ha resuelto en gran parte este problema.

Descubrir más de

Los medicamentos	110-115
La cirugía	126-129
Suplir una articulación	132-135

Aquí se muestra la varilla metálica y la cavidad de plástico de una prótesis de cadera.

ARTICULACIÓN DE LA CADERA

Si el cartílago del fémur y la cavidad pélvica se deterioran (izquierda), hará falta cirugía de reparación. Un nuevo método utiliza una copa y una cabeza metálica para recubrir la cavidad y el fémur (centro). El método clásico utiliza una bola de metal y una copa de plástico.

142 VIVIR CON ARTRITIS — LA DIETA 143

CAPÍTULO CUATRO

La dieta

Desde hace unos años, los médicos se toman muy en serio la dieta porque cada vez hay más pruebas de que la nutrición juega un papel fundamental en la artritis, sobre todo en la artritis reumatoide. Las investigaciones muestran que un cambio de dieta puede aliviar los síntomas.

La dieta no puede curar la artritis reumatoide, pero puede disminuir el dolor, acortar los periodos de rigidez y aumentar la fuerza de agarre. Con el cambio de dieta, algunas personas son capaces de reducir los fármacos, pero otras no notan casi ningún beneficio.

Muchas personas con artritis reumatoide no comen sano. Según la revista *Arthritis and Rheumatism*, sólo el 6 por ciento de los afectados consumen las cantidades diarias recomendadas de selenio, que protege frente a la artritis, y sólo el 23 por ciento toma suficiente calcio, esencial para unos huesos fuertes. La mejor manera de asegurar la ingesta de estos y otros nutrientes esenciales es mediante una dieta sana y equilibrada.

El sobrepeso puede empeorar los síntomas de la artritis. Es fundamental perder peso. Una dieta equilibrada y algo de ejercicio (véanse págs. 148-151) puede ayudar.

¿Qué es una dieta equilibrada?

Hay que empezar por aumentar la ingesta de féculas, que contienen carbohidratos complejos, y de fruta y verduras. Los carbohidratos complejos se digieren más lentamente y proporcionan energía durante más tiempo que los refinados. Lo ideal es que dos tercios de las calorías procedan de los carbohidratos complejos, provenientes de la pasta, los cereales y las verduras.

Para conseguir una mezcla de nutrientes, coma verdura y fruta fresca de distintos colores. La mejor manera de conservar los nutrientes es cocinar al vapor o con el microondas. Al menos una vez por semana, procure que su dieta sea completamente vegetariana. Cuando coma carne, procure que sea de ave.

Disminuya la ingesta de grasa, ya que posee el doble de calorías que las proteínas y los carbohidratos. Las grasas saturadas, que se encuentran en la bollería, el queso, la margarina y las patatas fritas, son lo primero a reducir. También hay que reducir el azúcar, que proporciona calorías, pero no nutrientes.

Muchos artríticos alivian los síntomas con una mezcla de dieta sana y medicación.

LA ALIMENTACIÓN Y LA ARTRITIS

ALIMENTOS SANOS	
Pescado y marisco	Salvo para quien tenga gota (véanse págs. 24-25), todos los pescados son buenos, sobre todo el azul de aguas frías: caballa, sardina, arenque, salmón, halibut, trucha y atún. Coma al menos cinco raciones a la semana.
Pollo, pavo, ternera	Son mejor que la carne roja. No coma la piel del pavo.
Fruta y verdura	Todas las verduras son buenas, sobre todo las de hoja verde. Cualquier fruta es buena.
Cereales	El pan y el arroz integral poseen más fibra.
Grasas poliinsaturadas	Se encuentran en los aceites de semillas, como el de girasol y el de cártamo, ricos en el ácido graso esencial alfa linolénico. Añada semillas de linaza, de girasol y aceites sin refinar a su dieta.
ALIMENTOS A EVITAR	
Grasas y fritos	Se incluye la carne roja, como la vaca y el cerdo. Estudios recientes indican que algunas grasas pueden tener efectos inflamatorios sobre personas con artritis reumatoide.
Legumbres	Legumbres como las lentejas contienen una sustancia, lectina, que puede agravar los síntomas de la artritis.
Productos lácteos	Incluyen leche, queso, yogur, nata, helado y otros derivados de la leche. Algunos estudios recientes demuestran que pueden agravar los síntomas de la artritis reumatoide y la artritis psoriática en algunas personas.
Bebidas gaseosas	Los fosfatos de estas bebidas agotan el calcio.
Aditivos y conservantes	Estudios recientes demuestran que, en algunas personas, los colorantes alimentarios pueden empeorar la artritis reumatoide y la artritis psoriática.

Descubrir más de

Suplementos alimentarios	146-147
La fisioterapia	82-85

Preparar comidas con algunas hierbas, como el jengibre, de propiedades antiinflamatorias, y el perejil, rico en calcio, es de utilidad para el tratamiento de la artritis.

4 El capítulo 4 se centra en las cuestiones prácticas para convivir con la artritis. Abarca temas como la realización de tareas cotidianas, así como la dieta y el ejercicio que pueden mejorar la calidad de vida, y el control del dolor de la artritis, día y noche.

1

COMPRENDER LA ARTRITIS

El esqueleto es una estructura articulada que sujeta el cuerpo y le permite realizar una enorme variedad de movimientos, controlados por los músculos, tendones y ligamentos unidos a los huesos. La articulación es el punto donde se unen dos o más huesos. El cuerpo humano comprende más de 200 articulaciones, siendo las principales las del codo, mano, rodilla, cadera, pie y columna.

La artritis se puede desarrollar en cualquier articulación. Se define como cualquier dolor, rigidez o inflamación en o alrededor de una articulación que dure más de dos semanas. Dado que existen 200 clases de artritis, es comprensible que afecte a tantas personas.

¿Qué es la artritis?

El término artritis significa, literalmente, "articulación inflamada". Sin embargo, no sólo se refiere a la inflamación de una articulación; también puede indicar la lesión, torcedura, infección, herida o desgaste de una articulación.

Cuando una articulación se ve afectada por la artritis, produce una notable molestia y dolor como resultado de los mensajes que envían los nervios de la articulación al cerebro. En una articulación envejecida o enferma, el movimiento fluido empieza a romperse.

En la osteoartritis, el cartílago se vuelve fino y escamoso, y empieza a fracturarse. El extremo del hueso se engrosa y se proyecta hacia los bordes de la articulación, reduciendo el grado de movimiento. El líquido de la articulación aumenta y produce inflamación, rigidez y dolor. La cápsula que reviste la articulación se estira. En casos agudos, el cartílago puede desgastarse por completo, dejando el hueso desprotegido. En ocasiones se acumulan depósitos calcáreos cristalinos en el hueso que pueden desprenderse y flotar en el líquido.

En el caso de la artritis reumatoide, la inflamación se origina en la membrana que rodea la articulación (el sinovio), que se engrosa y empieza a ocupar el espacio dentro de la articulación. La inflamación se extiende hacia el resto de la cápsula de la articulación, y los ligamentos y tendones que la rodean y sujetan se estiran de modo que la articulación se vuelve inestable. Si no se trata la inflamación, el cartílago encogerá y los extremos expuestos del hueso se desgastarán, produciéndose una deformidad.

Las distintas articulaciones varían enormemente en su estructura. Algunas, como la cadera y el hombro, permiten el movimiento en todas las direcciones. Otras, como el codo, se mueven sólo hacia delante y hacia atrás. En la columna, las vértebras tienen aún menos capacidad de movimiento independiente, y están unidas sin ninguna cápsula o líquido lubricante. Eso aumenta la importancia del disco de cartílago amortiguador, y es el motivo por el que el dolor de espalda constituye el dolor articular más persistente y extendido que afecta al ser humano.

Tipos de artritis

Las formas más comunes de artritis son la osteoartritis, la artritis reumatoide y la gota. En la página 16 se describen más detalladamente. Algunas formas menos habituales de artritis se describen en las páginas 26-29.

Los distintos tipos de artritis pueden agruparse según las siguientes causas.

Desgaste

Entre los tipos degenerativos de artritis se incluye la osteoartritis, la forma más habitual. Las articulaciones, como las partes móviles de cualquier máquina, se desgastan y rinden menos con el uso masivo y el paso del tiempo. Las articulaciones del cuerpo humano, sencillamente, se desgastan. Con la edad, puede aparecer artritis si los cartílagos son del tipo que se vuelven finos y escamosos, o porque se haya abusado de las articulaciones, por ejemplo, con la práctica de algún deporte, o porque se hayan visto obligadas a soportar un excesivo peso corporal. Otra posibilidad es que una de las caderas sufra un desgaste excesivo debido a que una pierna sea más larga que la otra, algo bastante frecuente.

Inflamación

En las artritis inflamatorias, entre las cuales la más habitual es la artritis reumatoide, a menudo se desconoce la causa de la inflamación. Una posibilidad es que se desencadene por un virus que active la respuesta autoinmune del organismo y que hace que la inflamación persista aun en ausencia de un agente dañino. La espondilitis anquilosante es otro ejemplo de artritis inflamatoria.

Alteración en la química corporal

La más habitual es la gota, debida a la inflamación de una articulación por la incapacidad del organismo para eliminar los cristales de ácido úrico acumulados dentro de la articulación.

Otros tipos

Algunos tipos de artritis son una mezcla de inflamación y desgaste. La artritis también puede estar causada por una infección vírica o bacteriana.

¿QUÉ ES EL REUMATISMO?

El término "reumatismo" describe cualquiera de los diversos desórdenes caracterizados por la inflamación de tejidos conectivos, como músculos, articulaciones y tendones. Entre los síntomas habituales se incluyen el dolor y la rigidez. Algunos problemas, como la artritis reumatoide, son una mezcla de reumatismo y artritis.

Descubrir más de

Osteoartritis	*16–19*
Artrosis reumática	*20–23*
Gota	*24–25*

ARTICULACIONES AFECTADAS POR LA ARTRITIS

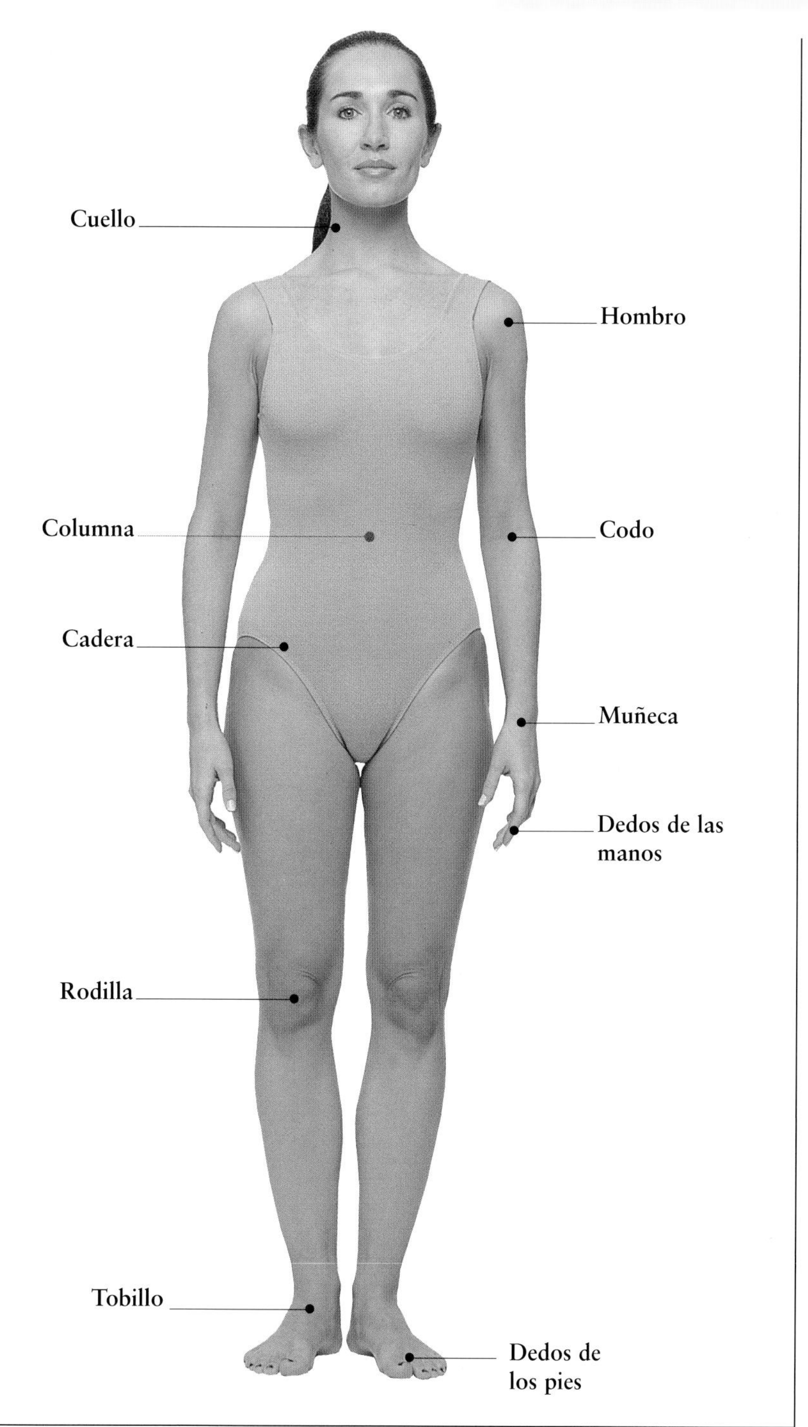

¿Cuál es la frecuencia de la artritis?

El 90 por ciento de la población mundial terminará por desarrollar alguna forma de artritis. Sin embargo, en muchos casos, la artritis no provocará demasiados problemas porque con la edad las personas le exigen menos al cuerpo.

La artritis se considera a menudo como un signo de envejecimiento, aunque puede afectar a personas de cualquier edad. De hecho, la artritis es una de las enfermedades más habituales entre la población. Para formarnos una idea de la frecuencia de la artritis, tomemos como ejemplo Estados Unidos, donde 285.000 niños sufren dolores de artritis a diario.

Las cifras en el Reino Unido muestran que unos 20 millones de personas sufren artritis, de los cuales 8 millones deben acudir al médico para recibir tratamiento. La osteoartritis es responsable de 5 de esos 20 millones de artríticos, y la artritis reumatoide de un millón más. Unos 15.000 niños padecen artritis juvenil.

En Estados Unidos, uno de los países con mayor diversidad étnica, casi 40 millones de personas (una de cada siete) sufre algún tipo de artritis, y se piensa que en el año 2020 la cifra rondará los 60 millones. De esos 40 millones, alrededor de 23 son mujeres de todas las edades. La artritis reumatoide juvenil afecta a 61.000 niñas, el 86 por ciento de los casos. En otros países, en los que se dispone de estadísticas similares, las proporciones son parecidas.

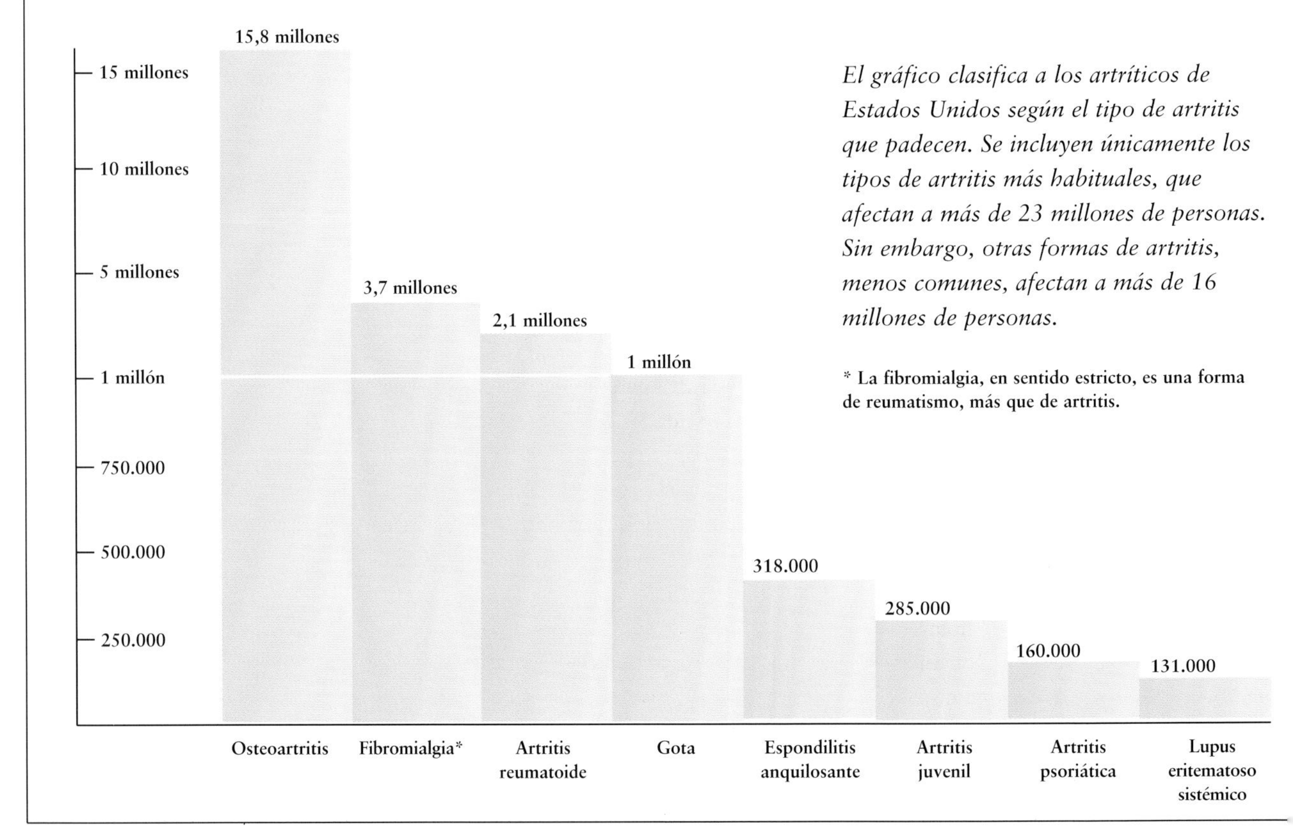

El gráfico clasifica a los artríticos de Estados Unidos según el tipo de artritis que padecen. Se incluyen únicamente los tipos de artritis más habituales, que afectan a más de 23 millones de personas. Sin embargo, otras formas de artritis, menos comunes, afectan a más de 16 millones de personas.

* La fibromialgia, en sentido estricto, es una forma de reumatismo, más que de artritis.

Descubrir más de

La artritis afecta a personas de cualquier edad, sexo, grupo étnico o nivel social. Alrededor de 9 de cada 10 personas en el mundo sufren alguna forma de artritis.

¿Cuáles son las implicaciones?

Las implicaciones económicas para los servicios de salud y los seguros médicos son importantes. Los patronos sufren el coste económico del absentismo laboral de sus trabajadores, ya sea por la pérdida de producción o por tener que contratar a algún sustituto. Cada año, la artritis cuesta unos 54,6 billones de dólares a la economía estadounidense. Obviamente, también afecta a la capacidad de los padres o abuelos para disfrutar plenamente de la infancia de los niños.

La artritis es la causa más habitual de incapacidad en el mundo occidental. Limita actividades cotidianas, como subirse y bajarse de la cama, vestirse, subir escaleras, o incluso caminar. Puede conducir a la pérdida de movilidad, pérdida de empleo, ruptura de relaciones sociales y de pareja, dolor crónico, fatiga y depresión. En casos graves, puede necesitarse la ayuda de cuidadores que, por ejemplo, limpien y hagan la compra, o puede requerirse un servicio de enfermería permanente.

La osteoartritis

La osteoartritis es la forma más habitual de artritis y afecta principalmente a personas de mediana edad y mayores. Suele atacar el cuello, la zona lumbar, las rodillas, las caderas y las articulaciones de los dedos. El dedo gordo del pie también puede sufrir osteoartritis, y no debe confundirse con la gota.

Casi el 70 por ciento de los mayores de 70 años muestran signos de osteoartritis sobre una radiografía. Sin embargo, sólo la mitad de ellos desarrollan síntomas de la enfermedad. Además de provocar el envejecimiento de las articulaciones, la osteoartritis puede afectar a articulaciones ya lesionadas, o sometidas a esfuerzos, y a articulaciones dañadas por una infección previa o por una artritis inflamatoria. Las personas que sufren osteoartritis experimentan dolor y pérdida de la función de las articulaciones afectadas.

¿Qué provoca la osteoartritis?

La osteoartritis se produce por la degeneración gradual del cartílago que rodea y protege la articulación afectada.

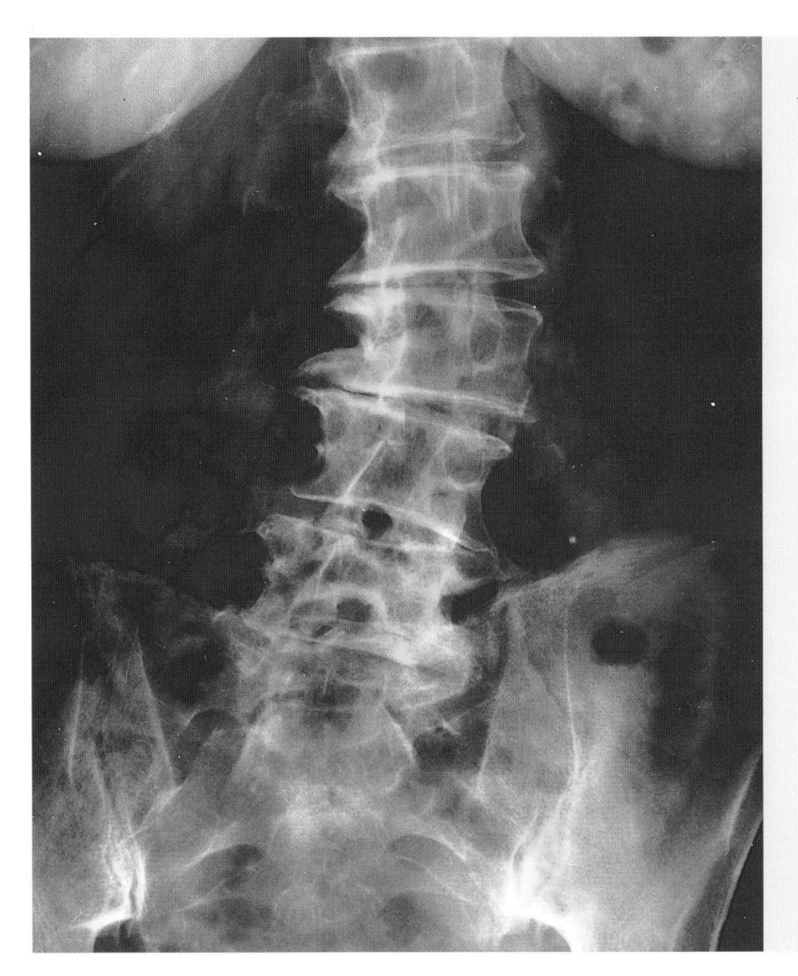

DISCOS Y VÉRTEBRAS

La columna está formada por unos huesos llamados vértebras, unidos entre sí y protegidos por el cartílago. Normalmente, la columna desciende por el centro de la espalda. En la radiografía se ve la columna de una mujer mayor, con una marcada curvatura lateral, o escoliosis, además de signos de una avanzada osteoartritis. La escoliosis puede deberse a que una pierna sea más corta que la otra, o a un dolor de espalda o piernas que haga que la persona se incline hacia un lado. Además del adelgazamiento del cartílago entre los huesos, la osteoartritis se caracteriza por la formación de excrecencias óseas, osteofitos, que forman una especie de puente entre vértebras adyacentes. En la imagen, son visibles a la izquierda de las cinco vértebras inferiores.

El cartílago articular sano suele ser muy suave, fuerte y flexible. Sin embargo, en caso de osteoartritis, se vuelve gradualmente rugoso, quebradizo y lleno de fisuras. Existen muchas causas para la pérdida de cartílago.

La fina capa de cartílago del extremo de un hueso amortigua los golpes y facilita los movimiento. La articulación está recubierta por una membrana, el sinovio, rico en vasos sanguíneos y terminaciones nerviosas. Cuando la articulación está sana, el sinovio la nutre y protege, y produce el líquido sinovial que la lubrifica.

Según se desgasta el cartílago, el hueso que hay debajo se engrosa y crece hacia fuera, alargando así la articulación. También pueden formarse espolones en los bordes de la articulación, conocidos como osteofitos. Éstos son, en parte, los causantes del aspecto nudoso de las manos de algunas personas mayores que sufren osteoartritis.

La osteoartritis puede tardar varios años en desarrollarse, y suele formarse en una articulación, normalmente una que soporta peso, a la vez. En algunas personas no provoca más que una cierta rigidez, mientras que en otras es causa de un considerable malestar e incapacitación.

¿Es hereditaria?

Algunos tipos de osteoartritis son hereditarios, incluyendo el tipo habitual que provoca un crecimiento de la primera articulación del dedo. Estos crecimientos se llaman nódulos de Heberden, por el médico británico que los identificó. Esta patología se ha asociado a un desorden genético, que suele pasar de madres a hijas, y que provoca un cambio en uno de los aminoácidos, lo que hace que el cartílago degenere. Las investigaciones actuales se centran en esta anomalía genética, así como en los nuevos métodos de estudio de las células, química y función del cartílago.

Descubrir más de

La osteoartritis 18–19
Causas de la artritis 30–37

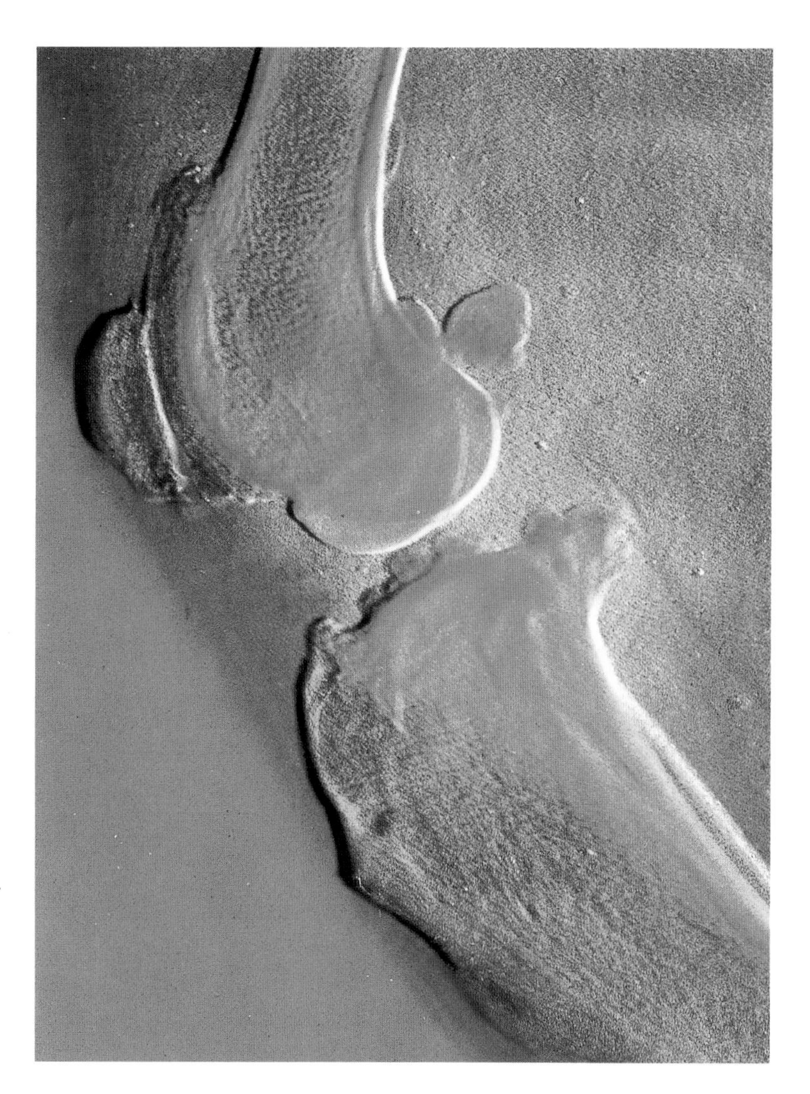

En este caso grave de artritis de rodilla, la radiografía muestra que el cartílago que recubre el fémur (arriba) y la tibia (abajo) se ha erosionado. También podría erosionarse el propio hueso. Aquí, un fragmento de hueso (a la izquierda del fémur) parece haberse desprendido.

La osteoartritis

Los principales síntomas de la osteoartritis varían, tanto en frecuencia como en gravedad, según lo avanzado del proceso.

En la primera etapa de la enfermedad, los pacientes sufren dolor tras manejar la articulación, dolor que puede empeorar según avanza el día. Sin embargo, al inicio, el dolor, la rigidez y la restricción en la movilidad —típicos de la osteoartritis— sólo causarán molestias ocasionales y mejorarán con el descanso. El clima húmedo puede agravar el proceso, al igual que el ejercicio.

La articulación afectada puede llegar a crujir, hecho que se conoce con el nombre de crepitación. Se produce cuando el cartílago que protege el hueso en el interior de la articulación se desgasta. Además, puede notarse algo de inflamación. Hay dos tipos básicos de inflamación: ósea (por ejemplo, en una articulación del dedo gordo del pie), y fluida (normalmente en rodillas y tobillos).

Según avanza el proceso, la articulación afectada puede provocar dolor, incluso al mínimo movimiento,

CASO CLÍNICO

Catherine sufre osteoartritis, pero pasaron años antes de ser diagnosticada.

—Siempre he realizado muchas labores de costura y tapicería en el hogar. Recuerdo que, ya cercana a los cincuenta, mis dedos parecían ser menos ágiles de lo habitual y, de vez en cuando, el dedo índice de mi mano derecha estaba rígido y chasqueaba. No le di demasiada importancia; estaba muy ocupada con la casa, el negocio de mi marido y los niños.

Pero al final de la cincuentena empecé a tener problemas con la cadera y zona lumbar. Siempre había llevado zapatos de tacón y, al parecer, eso me había provocado un excesivo desgaste de la articulación de la cadera, así como de la rodilla.

Cumplidos los sesenta, empecé a sufrir algunos colapsos. Eso me asustó de veras, de modo que acudí al médico y él confirmó que padecía osteoartritis.

Sé que sufro osteoartritis en varias articulaciones. No me impide hacer nada que me apetezca hacer, pero sé que no debo cansarme en exceso y me cuesta estar de pie mucho rato, por lo que procuro evitarlo. Si he tenido un día especialmente activo, al día siguiente descanso. Eso parece ayudar. Creo que tengo suerte porque mis manos no están horriblemente deformadas, y todavía puedo coser un poco de vez en cuando.

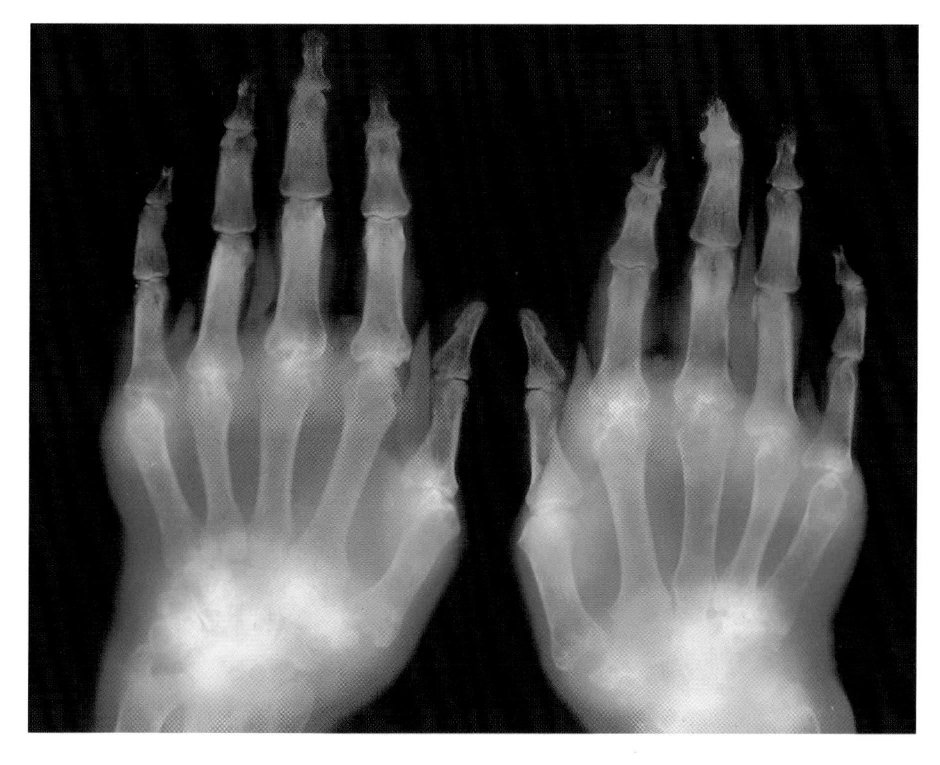

Descubrir más de

La elección de una terapia 42–43
Perder peso 116–117

La radiografía de una mano artrítica muestra la deformación de las primeras articulaciones de los dedos, las más cercanas a la palma. La mayoría de las articulaciones de ambas manos muestran signos de erosión. Las articulaciones más cercanas a la uñas también se ven a menudo afectadas por la osteoartritis.

o incluso en reposo y durante la noche. También pueden producirse deformidades óseas. Se pueden formar bultos, y las articulaciones toman un aspecto nudoso.

Normalmente, la rigidez de la articulación se limita a una zona localizada y sólo persiste durante un corto período de tiempo, aunque la articulación afectada puede estar sensible.

¿A qué articulaciones afecta?

Las articulaciones más habitualmente afectadas por la osteoartritis son:

- Las manos, sobre todo los dedos. Aunque los hombres también pueden sufrirla, la osteoartritis de las manos es 10 veces más común en las mujeres.
- Las rodillas, que pueden doler o estar sensibles.
- Las caderas, en cuyo caso se puede sentir dolor en la ingle o parte interna del muslo, y sufrir dolor reflejo en los glúteos o la rodilla. La movilidad de la cadera puede verse limitada. La osteoartritis de la cadera afecta por igual a hombres y mujeres.
- Los pies, sobre todo el dedo gordo.
- La columna, sobre todo la zona lumbar, aunque también puede afectar a las vértebras del cuello, a menudo diagnosticada como espondilosis.

Si sospecha que sufre osteoartritis, y sobre todo si alguno de sus progenitores la ha padecido, es importante acudir al médico para que realice un diagnóstico. Los médicos suelen basar su diagnóstico en un examen físico, junto con el historial médico y la valoración de los síntomas. Las radiografías se emplean para confirmar el diagnóstico. Cuanto antes se realice dicho diagnóstico, más probabilidades tendrá de conservar la movilidad y controlar el dolor.

La artritis reumatoide

La artritis reumatoide es la forma más habitual de artritis después de la osteoartritis. Afecta al doble o triple de mujeres que de hombres y suele iniciarse entre los 25 y los 50 años. La artritis reumatoide, a diferencia del proceso degenerativo de la osteoartritis, es una enfermedad inflamatoria del sistema inmunológico que afecta a las articulaciones y otros tejidos.

El cartílago que cubre la cabeza del fémur ha sufrido una grave erosión. Únicamente persisten zonas de cartílago sano y suave.

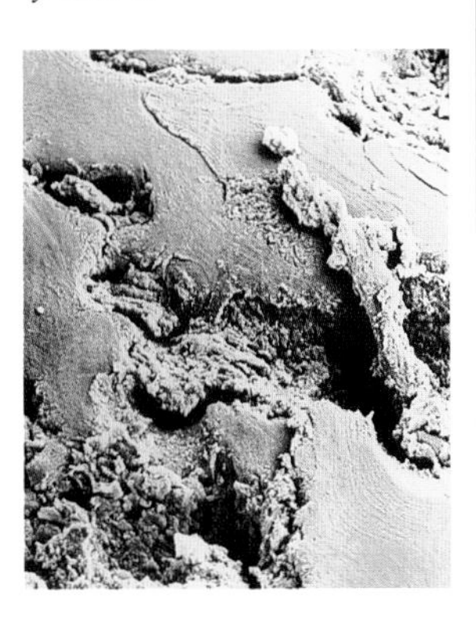

Los principales síntomas de la artritis reumatoide son dolor y rigidez en la articulación. Otros síntomas incluyen inflamación de las articulaciones, pérdida de apetito, febrícula, fatiga extrema y una sensación de malestar general. Además, pueden formarse nódulos bajo la piel alrededor de los codos y sobre los dedos.

La inflamación comienza en la membrana sinovial que tapiza las articulaciones, lo que produce hinchazón o derrame en el espacio de la articulación y daña el hueso (erosión). También puede producirse inflamación de los tendones (tenosinovitis), que provoca malestar y cansancio en el paciente.

La causa de la artritis reumatoide se desconoce. Tanto a corto como a largo plazo, resulta mucho más problemática y dolorosa que la osteoartritis. Puede atacar a cualquier edad, incluso durante la infancia, pero suele aparecer durante la juventud o la mediana edad. La artritis reumatoide afecta a personas de cualquier raza y zona geográfica, pero es mucho más grave en los países del norte de Europa que en otras partes del mundo.

Las personas que contraen artritis reumatoide pueden sufrir un único ataque agudo que persiste durante varios meses, o más, pero que suele desaparecer para nunca más volver. O puede que la

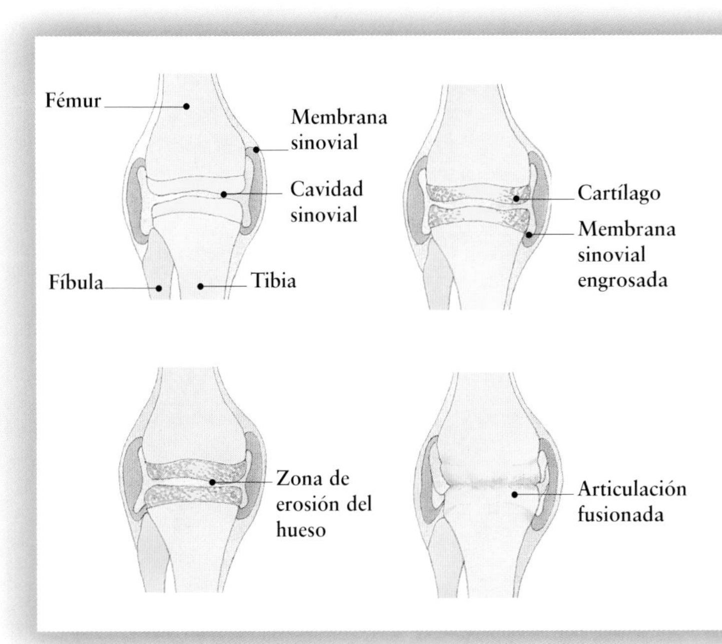

LA ARTRITIS REUMATOIDE

En una rodilla sana (superior izquierda), los huesos están cubiertos por el cartílago y la articulación es lubricada por el líquido sinovial. En caso de artritis reumatoide, el cartílago adelgaza y la membrana sinovial se hincha e inflama (superior derecha). A medida que progresa la enfermedad, la inflamación daña el cartílago (inferior izquierda). En los casos severos, el cartílago se vuelve tan fino que los huesos son dañados e incluso pueden fusionarse (inferior derecha).

enfermedad persista durante el resto de sus vidas, en cuyo caso se considera crónica. Sólo en pocos casos llega a provocar parálisis grave.

La artritis reumatoide provoca una deformación de las manos en la que los dedos se separan del pulgar. Esta forma de artritis suele, aunque no siempre, afectar simétricamente a ambos lados del cuerpo. La artritis reumatoide puede afectar en ocasiones a la mandíbula y, rara vez, al cuello.

Descubrir más de
La artritis reumatoide 22–23
Causas de la artritis 30–37

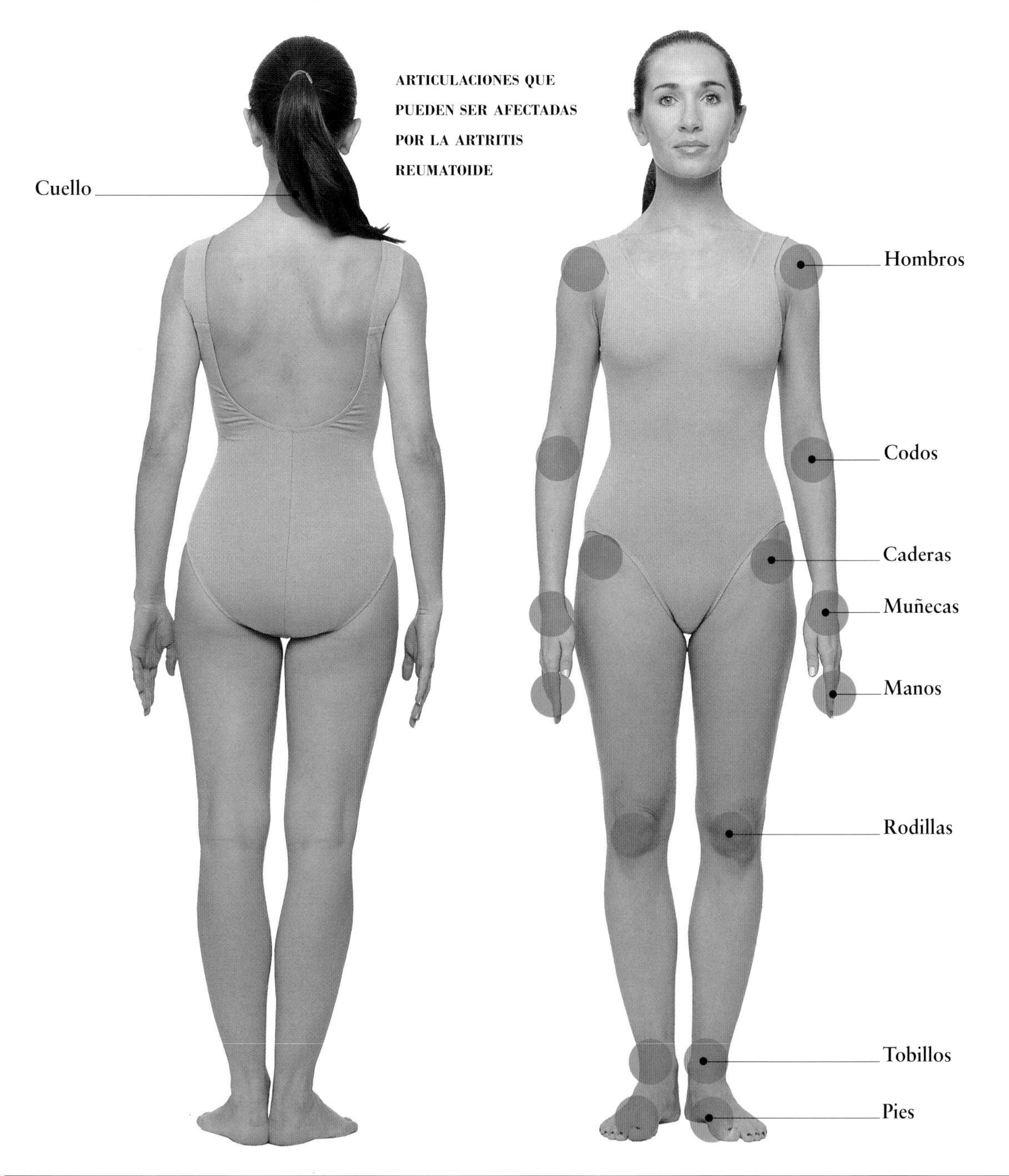

La artritis reumatoide

La artritis reumatoide es una enfermedad sistémica que afecta especialmente a las articulaciones. Otras zonas afectadas son los ojos, las glándulas, la boca y los vasos sanguíneos. En los casos graves, puede dañar permanentemente los tejidos del organismo y los cartílagos de las articulaciones, y conducir finalmente a la deformación, o incluso destrucción, de las articulaciones.

En algunas personas, sólo afecta a una o dos articulaciones. En otras, se extiende por todo el organismo. Alrededor del 30 por ciento de los pacientes parece recuperarse por completo tras pocos años. En torno al 65 por ciento continúa sufriendo dolor, inflamación y rebrotes repentinos; mientras que alrededor del 5 por ciento se ve seriamente afectado e incapacitado.

Si sus articulaciones duelen y se hinchan, debería acudir al médico sin demora. El diagnóstico será confirmado mediante radiografía, y un análisis de sangre detectará la presencia de inflamación. El médico podrá remitirle a un reumatólogo.

No hay motivo para desesperarse ante un diagnóstico de artritis reumatoide. Incluso aquellas personas que sufren un

CASO CLÍNICO

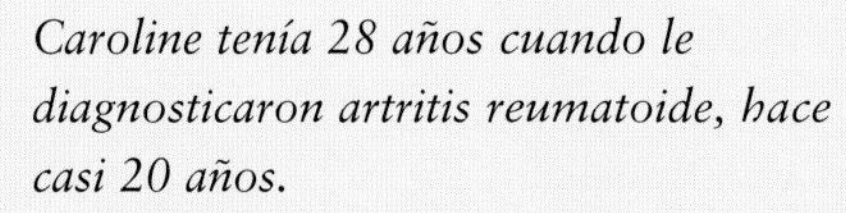

Caroline tenía 28 años cuando le diagnosticaron artritis reumatoide, hace casi 20 años.

—Hacía tiempo que notaba que cada vez que jugaba al tenis o iba a remar me dolían algunas articulaciones. No es fácil explicar lo doloroso que puede resultar, y la forma tan misteriosa en que empieza y termina el dolor. Si me altero, la artritis empeora, pero no es siempre el estrés lo que la hace rebrotar. A veces aparece sin motivo aparente.

La primera vez que me explicaron mi problema, pensé que mi vida había acabado. Me imaginaba a mí misma paralítica, en silla de ruedas, incapaz de valerme por mí misma. Pensé que nunca podría tener hijos. En resumen, que la vida no merecía la pena vivirse.

Sin embargo, no es tan malo como yo pensaba. He dejado de jugar al tenis y de remar, pero todavía soy capaz de nadar cuando la enfermedad no está en fase aguda. Y tengo dos hijas maravillosos. Durante el embarazo lo pasé mal porque mis articulaciones estaban sometidas a un mayor esfuerzo y no podía tomar algunos de los medicamentos que tomaba habitualmente antes de estar embarazada.

Ha habido momentos en que he estado completamente incapacitada, y en esos momentos, mis peores temores se han hecho, en cierto modo, realidad. El dolor resultaba a veces casi insoportable. Tomo todos los medicamentos recetados por el médico y en ocasiones acudo a un aromaterapeuta que me proporciona cierto alivio. He probado otras terapias complementarias, pero ninguna funciona tan bien para mí como la aromaterapia.

Mi gran temor actualmente es por mis dos hijas. Ellas tienen un cierto riesgo, debido al factor genético, y no soporto pensar que cualquiera de ellas desarrolle la enfermedad.

caso grave de artritis reumatoide encuentran alivio sin motivo aparente. Los afectados pueden pasar largos períodos de tiempo sin ningún síntoma. La ausencia de síntomas, o remisión, puede durar días, meses o incluso años.

Los médicos utilizan los siguientes criterios para un diagnóstico positivo:

- La persistencia de la artritis durante más de seis semanas.
- Rigidez matinal prolongada en las articulaciones.
- La presencia de unos nódulos característicos bajo la piel.
- La erosión de las articulaciones.
- La presencia en sangre del anticuerpo conocido como factor reumático. Sin embargo, el 25 por ciento de las personas con artritis reumatoide jamás desarrollan este factor, y algunas personas que sí lo tienen, no padecen artritis reumatoide.

Artritis juvenil

También conocida como enfermedad de Still, afecta cada año a uno de cada 1.000 niños. La mayoría de los niños con artritis reumatoide sufre lo que se conoce como artritis reactiva aguda tras una infección vírica o bacteriana. Tras unas semanas o meses, suele desaparecer.

La artritis reumatoide juvenil (JRA, siglas en inglés) es el tipo más habitual de artritis persistente, y puede durar meses o años. Existen tres formas básicas de JRA.

JRA pauciarticular

En sus inicios, la enfermedad afecta a menos de cuatro articulaciones. Puede empezar por una rodilla o tobillo inflamada, sin lesión o explicación que lo justifique, y sin que haya dolor asociado. Esta forma es a menudo muy suave y puede tratarse con medicamentos antiinflamatorios no esteroides suaves.

La JRA pauciarticular puede provocar dos problemas importantes. El niño puede desarrollar una inflamación en los ojos que, si no se trata, puede conducir a lesiones en el cristalino y daño visual permanente, incluso ceguera. Siendo la lesión ocular más frecuente en niños que dan positivo en la prueba de anticuerpos antinucleares (ANA), estos niños deberán ser examinados por un oculista cada tres meses. Los demás niños con JRA necesitan una revisión ocular cada seis meses.

La segunda complicación es un crecimiento asimétrico de los huesos de las extremidades, de modo que una pierna puede ser más larga que la otra, lo que provoca cojera. La cojera daña la rodilla y la cadera, y lleva a una artritis prematura por desgaste de las articulaciones cuando el niño alcanza la edad adulta. Esta evolución debería evitarse en la medida de lo posible.

JRA poliarticular

Este tipo de artritis afecta a cuatro o más articulaciones desde el inicio. Puede ser tratada con éxito con medicamentos antiinflamatorios no esteroides y, en los casos graves, con sales de oro o medicamentos como la sulfasalacina o el metrotrexato.

JRA sistémico

Esta forma más grave y problemática de JRA comienza con fiebre alta y erupciones. La fiebre suele subir una o dos veces al día, y luego desciende a niveles normales. Este tipo de JRA puede afectar a los órganos internos.

Con un tratamiento rápido y adecuado, la mayoría de los niños se recuperan con el tiempo, y aun los que sufren la forma más grave no deberían verse condenados a una silla de ruedas.

Descubrir más de
Los medicamentos 110–115

Al ser la artritis a menudo considerada una enfermedad de personas mayores, puede darse un retraso en el diagnóstico en el caso de un niño. Pero un rápido diagnóstico es vital para el éxito en el tratamiento.

La gota

A diferencia de otras formas de artritis, la gota afecta a más hombres que mujeres. Suele afectar a la articulación del dedo gordo del pie. La gota está provocada por la acumulación de cristales de ácido úrico en las articulaciones.

El ácido úrico se forma por la descomposición de las purinas y, normalmente, se excreta por la orina. Cuando se produce un exceso de ácido úrico, éste se acumula y forma pequeños cristales en las articulaciones y otros lugares. Si los cristales penetran en el espacio de la articulación, provocan inflamación y dolor agudo. Es lo que se conoce por el nombre de gota.

La gota suele afectar al dedo gordo del pie, pero también puede afectar a otras articulaciones, como tobillo, rodilla, mano, muñeca y codo. También puede atacar el tejido blando de la oreja, mano y pie, donde el ácido úrico cristaliza en unos bultitos blancos, llamados tofos.

La articulación afectada empieza a doler y, rápidamente, se inflama y se vuelve roja, caliente y extremadamente dolorosa. El ataque suele durar unos pocos días antes de desaparecer con la vuelta a la normalidad de la articulación.

La gota afecta a cuatro veces más hombres que mujeres. Cuando afecta a una mujer, suele hacerlo tras la menopausia, cuando la mujer está menos protegida frente a la enfermedad. La gota es controlable, aunque no curable, pero si no se trata puede provocar artritis paralizante, hipertensión y daño renal que puede llegar a ser mortal.

Algunas personas son más propensas que otras a sufrir gota. Su metabolismo elimina el ácido úrico muy lentamente. Otras causas son infecciones, lesiones, antibióticos, diuréticos, aspirinas y dietas drásticas. Contra lo que se cree, la comida y la bebida sólo ejercen una pequeña influencia en la gota.

La gota puede ser muy dolorosa y siempre debe tomarse en serio, pese a su fama de ser una "enfermedad de reyes". Es importante recibir un diagnóstico adecuado ya que, aunque sus síntomas coinciden con los de otras formas de artritis, el tratamiento para la gota es específico.

CÓMO SE DESARROLLA LA GOTA

Si el organismo produce un exceso de ácido úrico, o no consigue eliminarlo, éste se almacena en forma de cristales alrededor de las articulaciones.
Estos depósitos, o tofos, se notan a través de la piel y pueden provocar inflamación e hinchazón.

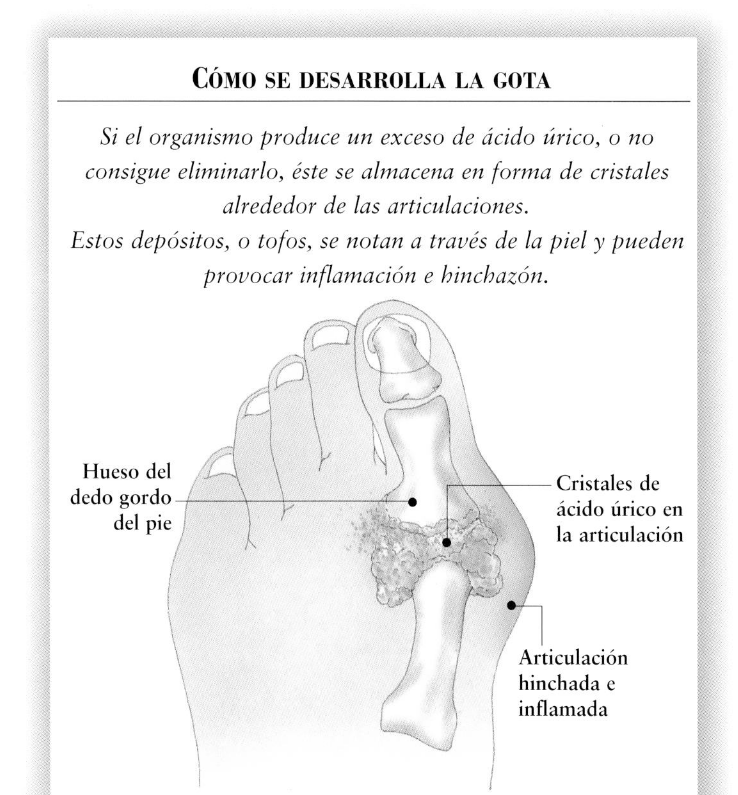

Tratamiento para la gota

Existen tres enfoques del tratamiento. El primero se ocupa del dolor. El segundo de

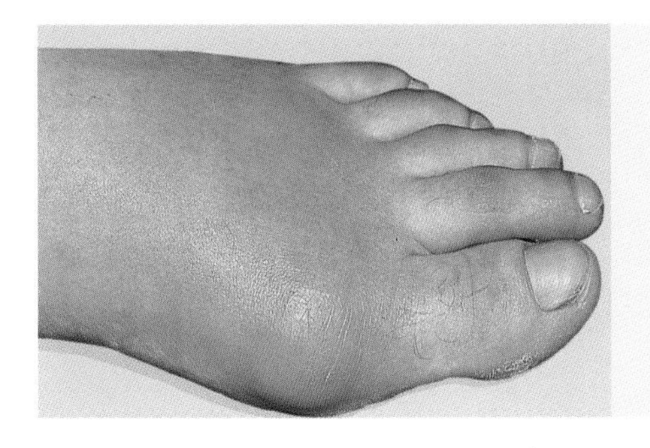

SIGNOS REVELADORES

La zona inflamada y enrojecida en la base del dedo gordo del pie es típica de la gota. La inflamación se debe al exceso de ácido úrico en el espacio lleno de líquido que rodea una articulación.

Descubrir más de

Los medicamentos	110–115
Controlar el dolor	136–139
La dieta	142–147

la inflamación, mediante medicamentos antiinflamatorios. Se recomienda mucho reposo, beber mucho líquido, sobre todo agua, y minimizar la ingesta de carne roja y alcohol. El tercer tratamiento implica una combinación de medicamentos que deberán tomarse toda la vida. El primer medicamento aumenta la excreción de ácido úrico a través de los riñones, lógicamente mediada por un aumento de la ingesta de líquidos, y el segundo medicamento reduce la cantidad de ácido producido por el organismo.

También pueden aconsejarnos limitar el consumo de alimentos ricos en purinas, sustancias químicas que aumentan el nivel de ácido úrico en sangre. Entre los alimentos ricos en purinas están el marisco, el pescado azul y las legumbres.

Si sospecha que padece gota, es fundamental que no abuse de los analgésicos, limitados únicamente a los prescritos por el médico. La aspirina, por ejemplo, puede ralentizar la excreción de ácido úrico, agravando la enfermedad.

Pseudo gota

Es una forma de artritis provocada por una acumulación de cristales de calcio, y no de ácido úrico, en las articulaciones. La pseudo gota hace referencia al ataque, similar al de la gota, producido por la inflamación de las articulaciones. Los depósitos de cristales de calcio encontrados en el cartílago de las articulaciones pueden ser visibles en las radiografías.

La pseudo gota está provocada por depósitos de cristales de calcio y pirofosfato en los tejidos del organismo, sobre todo los cartílagos. Se cree que una acumulación de pirofosfato en los cartílagos favorece la formación de cristales. El pirofosfato es un tipo de ácido producido por el tejido de las articulaciones. En la mayoría de los casos, los cristales se forman sin causa aparente. La pseudo gota suele ser genética, al igual que la gota verdadera.

El ataque agudo de pseudo gota suele afectar a la rodilla y puede incapacitar al paciente durante semanas. La pseudo gota no es tan grave, ni dolorosa, como la gota, y es inofensiva a no ser que los cristales se desprendan, en cuyo caso pueden provocar la inflamación de la articulación. El tratamiento suele ser con antiinflamatorios, o mediante la extracción del líquido que contiene los cristales. Únicamente si se descuida el tratamiento, puede llegar a provocar lesiones y dolor a largo plazo.

La pseudo gota, al igual que la gota, es controlable, pero no curable. Es esencial recibir un diagnóstico acertado para evitar confundirla con la gota.

El consumo excesivo de alimentos, como carnes rojas y alcohol, es un posible desencadenante de la gota.

Otros tipos de artritis

Entre las formas menos comunes de artritis se incluye la espondilitis anquilosante, el lupus, la artritis psoriática, la artritis infecciosa, la artritis séptica, el síndrome de Sjögren, la fibromialgia y la polimialgia reumática. También existe una serie de síndromes reumáticos asociados a la infección por VIH.

En algunas formas inflamatorias de artritis, el anticuerpo reumático no se encuentra en la sangre. Estas formas se conocen por el nombre de artritis seronegativas, e incluyen la espondilitis anquilosante, la enfermedad de Reiter, la artritis psoriática y la colítica: la artritis que surge tras una infección.

La espondilitis anquilosante es una enfermedad, dolorosa y progresiva, de las vértebras de la columna. De resultas de la inflamación, se forma un tejido de cicatrización en el espacio intervertebral que hace que las articulaciones se vuelvan rígidas. El tejido puede convertirse en hueso de modo que, tras la inflamación, quedan unos depósitos óseos en los bordes de las vértebras. El hueso se extiende a los lados de la vértebra afectada y puede fusionarse. Si no se trata, puede causar una grave deformación de la columna en la que la persona afectada va siempre inclinada hacia delante.

La espondilitis anquilosante es mucho más común en varones. Éstos pueden desarrollarla entre los 17 y los 27 años,

CASO CLÍNICO

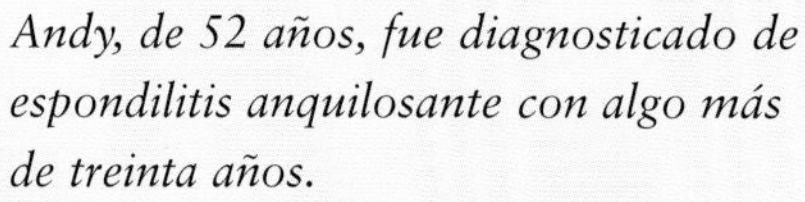

Andy, de 52 años, fue diagnosticado de espondilitis anquilosante con algo más de treinta años.

—Solía jugar al golf a nivel de competición. También practicaba el squash, que me gustaba mucho, varias veces por semana. Sin embargo, con el tiempo me costaba cada vez más mantener el mismo nivel. Ya había abandonado el golf, ya que mi swing no era el mismo.

Un compañero había sido diagnosticado de espondilitis anquilosante, y pensó que yo también podría tenerla. Yo nunca había ido al médico y no quería que me dijera que me pasaba algo en la espalda. Sólo quería seguir con mis prácticas deportivas. Me di cuenta de que tenía que jugar partidos por la tarde o noche para poder desentumecerme. Noté que mi espalda siempre estaba peor por las mañanas.

Al final de la década de los cuarenta, ya no podía seguir jugando, y me di cuenta de que el squash, lejos de proporcionarme la movilidad que solía, empeoraba mi espalda haciéndome sufrir seriamente al día siguiente.

Hace un par de años, acudí a un quiropráctico que me dijo que todas las vértebras de mi columna estaban fusionadas. Al no tener remedio ya, el tratamiento que me puso no hizo gran cosa. Lo que sí me ayuda bastante es caminar a ritmo constante varios kilómetros y los masajes regulares. ¡No muy vigoroso!

La natación es un excelente ejercicio que mejora la movilidad de los artríticos. Sin embargo, éstos no tienen por qué evitar todas las actividades vigorosas: caminar a buen paso, o correr, está permitido.

normalmente al comienzo de la veintena. Existe un fuerte factor genético, el HLA 827, ligado a un tipo de tejido. Sin embargo, no todos los portadores del gen desarrollan la enfermedad.

Síntomas

La espondilitis anquilosante comienza con un persistente dolor de espalda y rigidez matinal que suele mejorar a lo largo del día con el movimiento. Otros síntomas pueden ser fatiga crónica y pérdida de peso. Puede producirse dolor en el pecho y costillas, dificultando la respiración. También puede producirse dolor en las nalgas y muslos, así como tobillos hinchados y talones sensibles.

El problema debe tratarse de inmediato para evitar el bloqueo de la columna. Se precisan análisis de sangre y radiografías para el diagnóstico definitivo.

Una complicación bastante rara es la iritis o la uveítis, caracterizada por ojos rojos y doloridos. Si aparece, hay que acudir de inmediato al hospital.

Tratamiento

La espondilitis anquilosante no tiene cura, aunque se puede frenar su avance con el movimiento, y aliviar el dolor con calor. Los baños calientes, las botellas de agua caliente o las mantas eléctricas, junto con un colchón firme, son de gran ayuda. El ejercicio regular, bajo supervisión médica, es importante para que, aunque se produzca la fusión de las vértebras, la espalda se fusione derecha y no curvada.

Si trabaja sentado ante un escritorio, debe cambiar a menudo de postura para que la columna no esté en la misma posición durante mucho tiempo.

HUESOS FUSIONADOS

A medida que progresa la espondilitis anquilosante, se fusionan las vértebras en un hueso continuo que produce una columna rígida. A la vez, se endurecen los discos y los ligamentos, limitando aún más la movilidad. Se habla entonces de "columna en caña de bambú".

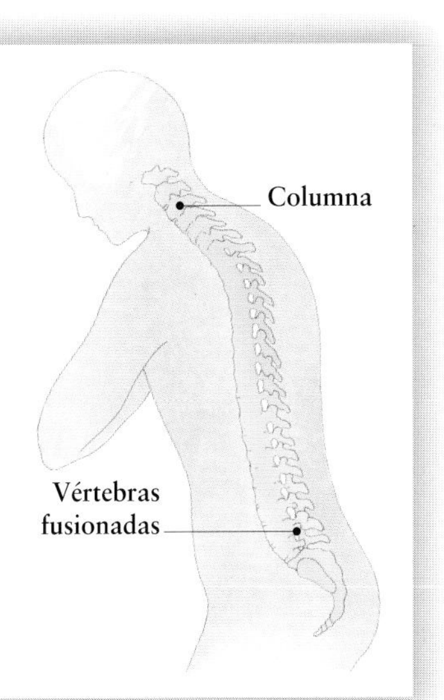

Otros tipos de artritis

Lupus eritematoso sistémico

Esta enfermedad, a veces llamada lupus, o LES, es un desarreglo sistémico autoinmune que produce una inflamación crónica que afecta a cualquier órgano del cuerpo. La sufren unas tres o cuatro personas de cada 10.000, y es más común entre los afrocaribeños y algunos asiáticos que entre los caucásicos. Afecta con más frecuencia a las mujeres que a los hombres.

En caso de lupus, el sistema inmunológico ataca los tejidos sanos del cuerpo. Esto provoca problemas en todos los sistemas del cuerpo. Los síntomas pueden incluir fiebre, malestar, pérdida de peso, erupciones cutáneas, dolor articular, problemas respiratorios, daño hepático y desarreglos gastrointestinales.

Muchos fármacos usados para tratar el lupus son inmunosupresores y aumentan el riesgo de infección. El lupus puede estar causado por una infección o virus, por la exposición al sol, o por determinados fármacos.

La erupción del lupus puede estar provocada por la exposición al sol. Debe emplearse un protector solar de factor 15 o más, llevar gorra de visera y permanecer todo lo posible a la sombra, sobre todo durante los momentos de más calor del día.

Artritis psoriática

La artritis puede estar asociada a la psoriasis. La artritis psoriática es una inflamación de las articulaciones de personas que ya sufren psoriasis o que pueden sufrirla en el futuro. La psoriasis es una enfermedad que provoca descamación en la piel y uñas, y que afecta a una de cada 50 personas. Entre las personas con psoriasis, una de cada 10 desarrollará una artritis asociada. La enfermedad afecta a personas de todas las edades, y a hombres y mujeres por igual.

También asociada a la artritis psoriática, se puede producir una dolorosa inflamación en el punto del hueso donde se fijan los ligamentos y los tendones, por ejemplo en los talones.

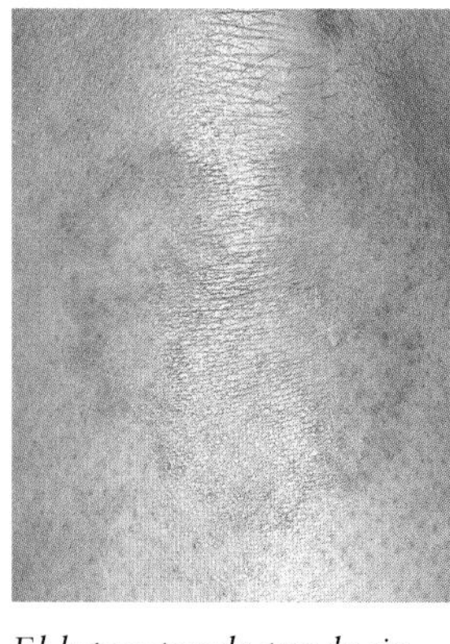

El lupus puede producir una erupción roja parcheada. La erupción remite para posteriormente recurrir.

Artritis infecciosa

La artritis puede desencadenarse por una infección vírica, sobre todo por la rubéola. Esta forma de artritis suele ser curable si se trata de inmediato. Sin embargo, sin el adecuado tratamiento, la artritis infecciosa puede producir graves daños en las articulaciones y extenderse a otras partes del cuerpo.

Esta enfermedad suele estar causada por bacterias. También pueden deberse a virus, como el de la hepatitis infecciosa, las paperas y la mononucleosis. La artritis fúngica es menos habitual.

Artritis séptica

Producida por una herida profunda, u otra infección, como la tuberculosis o la gonorrea, la artritis séptica implica la infección de la articulación. Puede existir una historia previa de herida infectada, como un uñero, forúnculo o nódulo ulcerado. La artritis séptica provoca ardor y dolor en la articulación, y una inflamación desproporcionada. El tratamiento consiste en aspiración, o drenaje, y antibióticos.

Síndrome de Sjögren

Es un tipo de artritis crónica acompañada de sequedad de ojos y boca. Otros síntomas son irritación y sensación de arena en los ojos. Los párpados pueden pegarse. La masticación y deglución resulta dificultosa. La voz puede volverse débil y aflautada, y los dientes pueden empezar a degenerarse. El tratamiento suele ser el mismo de la artritis reumatoide.

Fibromialgia

También conocida como fibrositis, la fibromialgia es un proceso que causa dolor, rigidez y fatiga. Se origina en los músculos y tejidos blandos. El paciente presenta diversos puntos de sensibilidad en determinados músculos. Los síntomas son dolor y rigidez en el cuello, hombros, parte superior de la espalda, zona lumbar y caderas. Además puede haber dolor en el pecho y las rodillas, alteraciones del sueño, síndrome de colon irritable y migraña.

La fibromialgia no responde a la aspirina ni al paracetamol, y los analgésicos más fuertes pueden resultar ineficaces. Se recomiendan los baños calientes, los ejercicios de relajación, el masaje, nadar en agua templada y los ejercicios para mejorar la postura.

Polimialgia reumática

La polimialgia reumática es una alteración típica de las personas mayores de 50 años. Provoca una rigidez severa y dolor en los músculos de la zona del cuello, hombros y caderas. Otros síntomas incluyen inflamación de las arterias, que puede provocar ceguera, fatiga, pérdida de peso, febrícula y depresión. Afecta al doble de mujeres que de hombres. El tratamiento implica la administración de corticosteroides.

Descubrir más de

La técnica Alexander 74–77
Los medicamentos 110–115
El ejercicio 148–151

CASO CLÍNICO

Nicola, de 36 años, sufre lupus.

— Padecía artritis severa y me resultaba difícil llevar una vida normal, incluso lavarme y vestirme era un problema. Entonces apareció el sarpullido y varios meses después me diagnosticaron lupus. La enfermedad ha afectado a mi cerebro de tal manera que no soy capaz de recordar las cosas.

El tratamiento de quimioterapia es horrible, necesito suprimir mi sistema inmune para evitar que ataque mi cuerpo. Pero después de la quimio, sufro toda clase de desagradables infecciones, como úlceras bucales y demás.

También debo estar bajo diálisis en espera de un trasplante. Los medicamentos me producen toda clase de efectos secundarios, pero necesito tomarlos. Cuando la enfermedad se agudiza, me siento tan agotada que no puedo más que quedarme en cama y descansar.

Causas de la artritis

La artritis, en sus múltiples formas, se debe a diferentes y complejas causas. En algunas formas de la enfermedad, la edad es el factor fundamental. En otras, se debe a una alteración de la química del cuerpo o al mal funcionamiento del sistema inmunólogico.

La bicicleta es excelente para mejorar el estado cardiovascular y estimular el metabolismo, ayudando a perder peso. Sin embargo, practicar ciclismo de forma intensiva puede dañar las rodillas.

Las investigaciones actuales sobre las causas de la artritis incluyen el estudio del funcionamiento del sistema inmunológico y de lo que falla en muchos casos de artritis. Las etapas y mecanismos de la reacción autoinmune, en la que los tejidos del propio organismo son atacados por los anticuerpos, están cada vez más claras y ofrecen esperanzas para el desarrollo de nuevos tratamientos.

La mayoría de las enfermedades empeora con la edad, y, aunque ésta quizá no sea la causa de la muchos procesos artríticos, sí que influye en la aceleración del proceso y el debilitamiento de los mecanismos de inmunidad y defensa, por lo que el organismo es menos capaz de combatir la enfermedad. Además, con los años, el metabolismo se vuelve más lento y aumenta nuestra predisposición a engordar. Esto puede afectar al desarrollo y progresión de la artritis.

Algunos factores de riesgo son controlables: podemos adelgazar, dejar de fumar y, en general, mejorar nuestro estilo de vida con vistas a aliviar la artritis.

El exceso de peso

Las personas con exceso de peso someten a todo su organismo a un mayor esfuerzo. Las articulaciones del sistema musculoesquelético no son una excepción y necesitan trabajar más en caso de exceso de peso. Lo que normalmente es una enfermedad degenerativa o de desgaste, se convierte, en personas obesas, en un serio riesgo para la salud.

El delicado mecanismo de las articulaciones, sobre todo de aquellas que soportan peso, como las caderas, rodillas y tobillos, tendrá que estirarse al límite. Por ejemplo, las vértebras de la columna se comprimen. El cartílago que rodea el extremo de los huesos se vuelve menos flexible. Los músculos y las articulaciones necesitan más oxígeno, pero el cuerpo con sobrepeso y un sistema cardiovascular alterado no podrá producir bastante, ni lo suficientemente rápido para cumplir con la demanda. El esfuerzo al que están sometidas partes cruciales de la articulación puede aumentar por cuatro o cinco, de modo que una ligera pérdida de peso supondrá una gran diferencia en el esfuerzo al que se ve sometida una articulación que soporta peso.

La artritis es mucho más común en mujeres con sobrepeso. El exceso de peso es claramente negativo en caso de osteoartritis, y se recomienda que quienes la padecen recuperen cuanto antes su peso ideal. La obesidad también afecta en otros tipos de artritis, ya que la vida diaria es más agotadora si se tiene sobrepeso.

¿Cuánto es demasiado?

Los métodos tradicionales para calcular el peso adecuado, como las tablas de peso y altura, ya no se consideran suficientemente eficaces para determinar el peso ideal. Tampoco tienen en cuenta la proporción entre músculo y grasa. El músculo pesa más que la grasa, y se puede pesar más que otra persona de la misma estatura, pero estar más en forma. Actualmente, los médicos se guían por el índice de masa corporal (IMC) para determinar si el peso está dentro de los límites normales. Se explica con más detalle en las páginas 116-117.

El factor hereditario

Muchos tipos de artritis atacan con más frecuencia en algunas familias. Sin embargo, eso no quiere decir que la artritis se "herede". Lo más que se puede decir es que se ha heredado una predisposición genética a sufrir esa enfermedad, cuando los padres, abuelos y tíos la padecen.

Descubrir más de

Causas de la artritis	32–37
Terapias físicas	116–121
El ejercicio	146–149

La osteoporosis, o fragilidad ósea, puede verse agravada por otros factores que a menudo se encuentran en las personas que padecen artritis. Un modo de ayudar a mantener la densidad ósea es un paseo de media hora, a buen ritmo, al menos tres veces por semana.

LA EDAD

La edad es causa común de algunos tipos de artritis y factor determinante en otros.

- *En la osteoartritis, el tipo más común de artritis, casi el 70 por ciento de las personas de más de 70 años presenta algún síntoma visible en una radiografía. Este tipo de artritis es sin duda debido al desgaste, y algo normal dentro del proceso de envejecimiento.*
- *La edad puede ser un factor en la artritis reumatoide, pero no su causa. El inicio habitual de la artritis reumatoide se produce entre los 25 y los 50 años.*
- *La gota está asociada a la edad, pero no causada por ella. Un fallo metabólico innato puede, con el tiempo, conducir a la formación de cristales de ácido úrico, responsables del dolor típico de la gota.*
- *La edad es un factor determinante en el desarrollo de la espondilitis anquilosante, sin ser la causa de la enfermedad. El habitual inicio de este proceso se sitúa entre los 17 y los 27 años.*
- *El lupus eritematoso sistémico, o lupus, afecta normalmente a mujeres entre 15 y 45 años (la edad fértil), aunque la enfermedad puede, en mucha menor frecuencia, afectar a mujeres más jóvenes, o mayores, así como a hombres.*

Causas de la artritis

Los científicos son aún incapaces de determinar si la artritis se hereda o no, pero si varios miembros de su familia padecen la enfermedad, merece la pena que su médico juzgue si sufre algún síntoma. Un diagnóstico temprano suele traducirse en un mayor éxito en el tratamiento.

El factor genético

¿La artritis es genética? En su desarrollo está implicado más de un gen. Sin embargo, por el mero hecho de tener el gen, no significa que vaya a desarrollar la enfermedad. Igualmente, algunas personas que no son portadoras del gen, pueden desarrollar la enfermedad. Lo que sí se hereda es una fuerte tendencia a desarrollar alguna forma de osteoartritis. La herencia es el principal factor en la espondilitis anquilosante.

Investigación genética

Los investigadores han hallado una secuencia específica de ácidos nucleicos, uno de los constituyentes del ADN, que es un marcador para la artritis reumatoide. Las personas que heredan esta secuencia, sea de la madre o del padre, son más proclives a sufrir alguna forma grave de artritis, que podría afectar a los órganos internos además de las articulaciones. Estas investigaciones podrían conducir en el futuro a un consejo genético que identifique a las personas con más riesgo de desarrollar alguna forma grave de artritis, o que necesiten un tratamiento más intensivo.

La causa de la artritis, y la búsqueda del gen responsable, sigue siendo objeto de investigación científica. Los factores genéticos juegan un papel en la predisposición a sufrir artritis reumatoide, pero los científicos aún no conocen los genes implicados.

En septiembre de 1997, se unieron en Estados Unidos la Fundación contra la Artritis, el Instituto Nacional de Artritis y Enfermedades Musculoesqueléticas y de la Piel, y el Instituto Nacional de Alergias y Enfermedades Infecciosas, para apoyar a un consorcio de 12 centros de investigación en la búsqueda de los genes que determinan la propensión a la artritis reumatoide. El grupo se llama NARAC y espera aprender más sobre los genes que provocan la enfermedad.

Todavía faltan algunos años para conocer los resultados de este estudio. De momento, los científicos opinan que la artritis reumatoide puede deberse a una combinación de factores genéticos y ambientales —seguramente un agente infeccioso, como un virus o una bacteria— que hacen que una persona sea propensa a la enfermedad.

El factor de género

¿Es la artritis más común en mujeres que en hombres? La espondilitis anquilosante es una de las pocas formas de artritis más frecuentes en hombres que en mujeres. La mayoría de las formas restantes afecta mucho más a las mujeres.

En Estados Unidos, casi dos tercios de las personas enfermas son mujeres.

- La osteoartritis afecta a 11,7 millones de mujeres, el 74 por ciento de los casos.
- La fibromialgia afecta a 3,7 millones de personas, y a siete veces más mujeres que hombres.
- La artritis reumatoide afecta a 1,5 millones de mujeres, el 71 por ciento de los casos.
- El lupus afecta a 117.000 mujeres, el 89 por ciento de los casos.
- La artritis reumatoide juvenil afecta a 61.000 niñas, el 86 por ciento de los casos.

Autoinmunidad

Muchas formas de artritis, incluyendo la artritis reumatoide y el LES, están relacionadas con la autoinmunidad. La autoinmunidad es un proceso en el que el sistema inmunológico del organismo se "equivoca" y empieza a atacar al cuerpo. Se piensa que el proceso es activado por una infección, bacteriana o vírica, que dispara la reacción inmune, y que no se desactiva al desaparecer la infección. En la mayoría de los casos no está claro exactamente qué infección está implicada.

Deporte y ejercicio

En circunstancias normales, el ejercicio es beneficioso, y a la mayoría de las personas les vendría bien practicarlo más. Dicho esto, existen ciertos tipos de ejercicio y deportes que pueden agravar la artritis cuando se tiene una predisposición a sufrirla, y algunos ejercicios y deportes pueden, de hecho, provocar la enfermedad.

Los esfuerzos a que se someten las articulaciones de las bailarinas de ballet son una carga intolerable, y las articulaciones se resienten.

Los deportes de contacto provocan a menudo problemas articulares, de cartílagos y, más adelante, artritis. El fútbol es seguramente el ejemplo más conocido, pero el rugby y otros deportes también son perjudiciales.

- La naturaleza repetitiva de algunos ejercicios puede causar problemas a cualquier edad.
- Muchos deportes son peligrosos, simplemente por el riesgo de lesiones o traumatismos. Cualquier deporte en que uno se pueda caer y romperse un hueso, o sufrir una lesión que requiera cirugía puede predisponernos a problemas futuros.
- El hecho de que muchos tipos de ejercicio y deportes sean competitivos somete al cuerpo a un estado de tensión, y aumenta la probabilidad de traumatismos y desgastes. Los deportes que requieren aguantar una postura antinatural durante un tiempo, con el cuerpo en tensión, son especialmente peligrosos. Las rodillas y, en algunas personas, las caderas, son propensas a sufrir por ese esfuerzo.

El ejercicio debe practicarse con moderación. No someta al cuerpo a una gran carga. Evite deportes que exijan movimientos de giros y torsión. Si tras practicar un deporte o ejercicio siente dolor, tómelo como un aviso: el cuerpo le está diciendo que el esfuerzo es excesivo. Descanse unos cuantos días y deje que el cuerpo se recupere. Y, la próxima vez que practique su deporte o ejercicio favorito, lleve el calzado adecuado, caliente bien antes de empezar, tenga cuidado durante el ejercicio, pare en cuanto empiece a sentir cansancio y cese la actividad adecuadamente.

Descubrir más de

Las lesiones	35
El estilo de vida	37
El ejercicio	148–151

Las bailarinas de ballet y las gimnastas con una larga carrera sufren más tarde las consecuencias. La artritis es común entre ellas.

Causas de la artritis

Medicamentos

Algunos medicamentos pueden interaccionar con otros, y algunas mezclas de medicamentos pueden provocar efectos secundarios indeseables en forma de artritis. Por eso hay que consultar con el médico antes de tomar una medicina, e informarle de todos los medicamentos que se esté tomando. Es de especial importancia, por ejemplo, en el caso de gota, porque el tratamiento capaz de aliviar otros tipos de artritis, la aspirina, puede favorecer la gota.

Los medicamentos contra la artritis pueden reaccionar con determinadas medicinas prescritas para la hipertensión, y con el litio. La vacuna contra la rubéola produce efectos musculoesqueléticos en el 20 por ciento de los casos. Suelen persistir de dos a cuatro semanas tras la vacunación, pero pueden durar más y, raramente, meses. Los pacientes a los que se aplican medicamentos intravenosos, sufren el riesgo de desarrollar artritis séptica.

La vacuna contra la rubéola puede provocar un corto episodio de artritis, como la propia rubéola. Si presenta algún síntoma, informe al médico si ha sido vacunado, o si ha contraído la rubéola, recientemente.

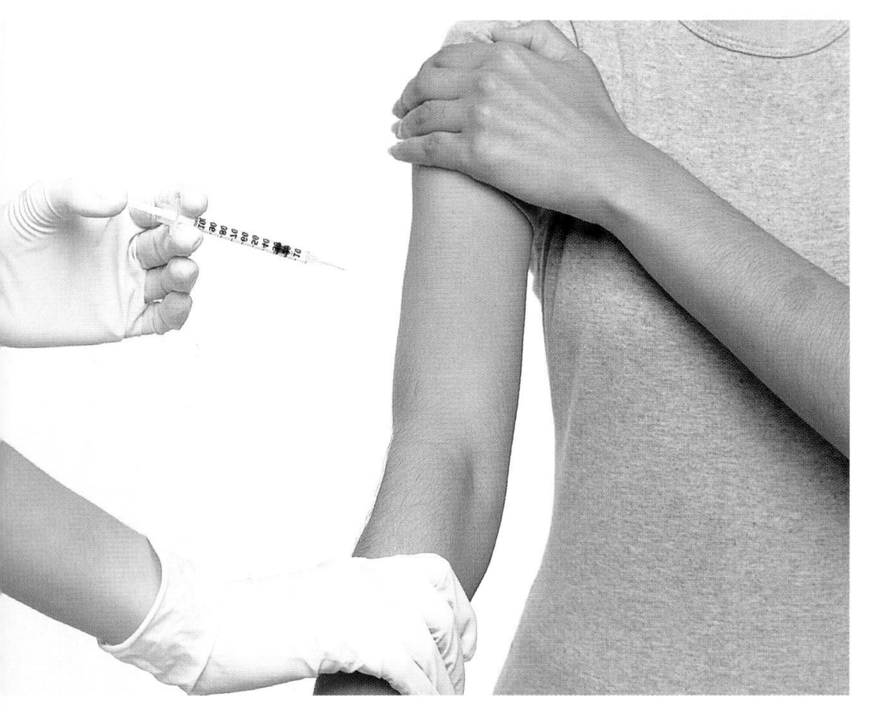

Muchos alimentos pueden provocar una reacción alérgica en personas sensibles. Entre los más comunes están los productos lácteos, como la leche y el queso, el trigo y sus derivados, y el marisco.

Al recibir una receta, deben seguirse unas sencillas precauciones.

- Compruebe que lo que hay escrito en la receta sea el medicamento prescrito por el médico.
- Pregunte al médico por los efectos secundarios, para saber qué puede esperar.
- Al recoger el medicamento en la farmacia, compruebe la etiqueta para asegurarse de que le han entregado el medicamento recetado por el médico.

Los errores pueden suceder, y suceden: forman parte de la vida diaria.

Alergias

La reacción alérgica es una respuesta inmune perjudicial del organismo a una sustancia (normalmente un determinado alimento, polen, pelaje o polvo) para el que se ha vuelto hipersensible.

Las alergias alimentarias pueden intervenir en algunos tipos de artritis inflamatoria. Es importante pedirle al médico que le remita a un servicio de alergología si sufre dolores artríticos sin que exista evidencia de artritis. Una alergia podría ser la culpable.

Sea cual sea la enfermedad o desarreglo, es importante obtener cuanto antes un correcto diagnóstico, para poder recibir enseguida el tratamiento indicado.

Traumatismos (lesiones)

Un traumatismo es una lesión o herida física. A veces, la artritis se desarrolla tras una lesión, independientemente de la predisposición genética a contraerla. La artritis puede desarrollarse muchos años después del traumatismo. Este tipo de artritis recibe el nombre de secundaria.

Descubrir más de

Los medicamentos 110–115
La dieta 142–147

CASO CLÍNICO

Rosie, cercana a los 40, ha sido diagnosticada de artritis secundaria.

—A los 14 años, un día paseaba a mi perra y ésta salió corriendo hacia la carretera. La perseguí cuesta abajo por una ladera húmeda de rocío. Yo corría tan rápido como podía, pero resbalé y mi pierna quedó atrapada bajo mi cuerpo. El dolor era insoportable. Me había roto los principales huesos de la pierna, y sufrido un esguince de rodilla.

A los 17, estaba en París y resbalé en unas escaleras. Llevaba puestas unas sandalias que no ajustaban muy bien. Me dolía muchísimo el tobillo, pero, como estaba de vacaciones, no acudí al médico. Conseguí aguantar un par de días antes de acudir a uno. Enseguida me llevaron al hospital y me escayolaron, tras recomendarme reposo. Llevaba más de dos días caminando por ahí con un tobillo roto.

Unos años después, mientras trabajaba en Hong Kong, tenía 22 años, resbalé de nuevo y me torcí el mismo tobillo que me había roto en París. Me dolió bastante, pero no le di demasiada importancia. Sin embargo, al día siguiente, el tobillo estaba muy hinchado, dolorido e inmóvil, de modo que acudí al hospital para hacerme una radiografía y me dijeron que no se veía nada raro.

Pocos días después, me seguía doliendo. Acudí a mi médico y él me remitió a un cirujano ortopédico. Volvió a repetirme las radiografías y las examinó detenidamente. Descubrió que el tobillo se había vuelto a fracturar y, además, que un pequeño trozo de hueso que se había formado, al parecer, como resultado de la primera fractura, se había desprendido. El cirujano me propuso operar para eliminar ese fragmento de hueso antes de escayolarme.

Supongo que es normal, después de estas lesiones, y tras haber caminado con una articulación lesionada, que mi tobillo derecho no sea tan fuerte como el izquierdo. Tengo casi 40 años y el tobillo lastimado se me hincha a veces sin motivo aparente, sobre todo si hay humedad; y cuando llevo tacones altos, lo siento poco firme. Sé que padezco artritis en ese tobillo, y lamento no haber sido más sensata de joven.

Causas de la artritis

Tabaco

Fumar tabaco provoca más de 100.000 muertes prematuras al año en el Reino Unido, 23.000 en Australia, y alrededor de 350.000 en Estados Unidos. Pocos fumadores pueden pretender ignorar los peligros del tabaquismo. Aunque en el mundo desarrollado cada vez se fuma menos, el tabaquismo está en aumento en algunos países en desarrollo.

Fumar no sólo es peligroso por las enfermedades que causa, como el cáncer de pulmón, sino porque empeora prácticamente cualquier otra enfermedad. La artritis no es ninguna excepción. El tabaco contiene sustancias tóxicas, y fumar destruye hasta el 15 por ciento del suministro de oxígeno del cuerpo. Eso significa que se requiere más tiempo para la regeneración del tejido dañado, y que el dolor y el cansancio son mayores en los artríticos que fuman.

Tabaco e investigaciones sobre artritis

En septiembre de 1997, la revista *Annals of the Rheumatic Disease* publicó un estudio que afirmaba que fumar aumenta la gravedad de la artritis reumatoide. Investigadores de la Facultad de Medicina de Iowa, Estados Unidos, estudiaron la gravedad de la enfermedad en más de 300 pacientes. Concluyeron que fumar es un factor de riesgo significativo y modificable que afecta a la gravedad de la artritis reumatoide.

La artritis reumatoide provoca inflamación crónica y degeneración de las articulaciones, sobre todo de las de los dedos, manos, pies, tobillos, rodillas y hombros. Se suele diagnosticar por la presencia de articulaciones inflamadas, radiografías que revelan erosión alrededor de la articulación afectada, y por la presencia de anticuerpos, conocidos como factor reumático, en la sangre.

Tras contar con los factores de riesgo de la artritis reumatoide, como la edad y el sexo, el equipo de la Universidad de Iowa observó que los pacientes que habían sido o eran fumadores tenían más probabilidades de tener un nivel alto del factor reumático, y más riesgo de sufrir erosión ósea. Además, los que habían fumado durante más de 25 años, triplicaban el riesgo de factor reumático y erosión ósea frente a los no fumadores.

Los peligros

Fumar puede provocar anomalías en el sistema inmunológico de los que padecen artritis reumatoide, en los pulmones y otras partes del cuerpo. Fumar aumenta el nivel de glóbulos blancos, y fumar mucho puede provocar anomalías en las células del sistema inmunológico, que pueden aumentar el riesgo de infecciones. Fumar compromete la actividad del sistema inmunológico del organismo, y los autores del estudio sugieren que puede ser más importante en el desencadenamiento de la enfermedad que en su perpetuación.

El estilo de vida

Éstos son los pasos que debe seguir para reducir el riesgo de desarrollar artritis, o para aliviarla si ya la sufre.

Disminuir los riesgos

1. Mantenga su peso dentro de unos límites normales. Si no está seguro de cuál es su peso ideal, puede calcular el índice de masa corporal (*véanse* págs. 116-117).
2. Coma sano. Tome cinco porciones de fruta fresca o verdura al día, cruda o al vapor para preservar sus vitaminas y minerales. Tome alimentos ricos en hierro y calcio, y considere tomar suplementos

de aceite de pescado, rico en los ácidos grasos esenciales omega-3, EPA y DHA.
3. Practique algún ejercicio regularmente y con moderación, teniendo en cuenta el esfuerzo al que se verá sometido el sistema musculoesquelético. Preste atención especial si el ejercicio somete a su cuerpo a esfuerzos.
4. Compruebe los medicamentos que toma, con el médico y en la farmacia.
5. Si piensa que alguna de sus articulaciones puede estar afectada por la artritis, consulte al médico con vistas a recibir tratamiento lo antes posible. Cuanto antes comience el tratamiento, mayores serán las probabilidades de conservar la movilidad.
6. Tras una lesión, reduzca el dolor y la tensión sobre la articulación con los ejercicios y técnicas de relajación que mejor le vayan. El ejercicio adecuado (*véase* Capítulo 3) puede proteger una articulación frente a futuras lesiones. Recuerde que tan malo es hacer poco ejercicio como excederse en él.
7. Es importante encontrar el punto de equilibrio entre la capacidad de relajarse y la de mantenerse lo más activo y en forma posible. Las clases de relajación ayudan a algunas personas, al igual que otras terapias complementarias, como la meditación, la visualización, la acupuntura y la aromaterapia (*véase* Capítulo 2).

Descubrir más de

La relajación	*58–59*
Dejar de fumar	*124–125*
El ejercicio	*148–151*

Aunque, en general, cada vez fuman menos personas, la proporción sigue siendo elevada entre los jóvenes. Por ejemplo, el 20 por ciento de los hombres jóvenes son fumadores y se exponen a sufrir problemas de salud en el futuro, incluyendo la artritis.

2

TRATAMIENTOS COMPLEMENTARIOS

Al ser la artritis tan común, se han invertido muchos esfuerzos en investigar tratamientos ortodoxos que eviten o reviertan el problema. Hasta ahora, no han tenido mucho éxito.

Los medicamentos ortodoxos pueden ayudar a superar el agudo dolor causado por la artritis en sus diversas formas, pero pueden producir graves efectos secundarios. Además, los medicamentos prescritos no alivian el sufrimiento y la amargura que a menudo acompaña a los artríticos.

Ahí es donde pueden ayudar las terapias complementarias. Ofrecen eficaces alternativas a los fuertes medicamentos, y alivian sin efectos secundarios. De hecho, a menudo son empleadas por los médicos más puristas.

¿Por qué una terapia complementaria?

Las terapias complementarias suelen ser suaves y desprovistas de los efectos secundarios de la medicina convencional. Están diseñadas para trabajar con el cuerpo, de ahí la importancia de conocer el historial médico del paciente.

Muchas de las terapias complementarias popularizadas en Occidente durante las últimas décadas tienen su origen en la cultura oriental, y llevan practicándose durante cientos de años. Entre ellas se incluye la acupuntura, el yoga y la meditación. Otras, como la técnica Alexander, la osteopatía y la quiropráctica han surgido más tarde y fueron desarrolladas en países occidentales.

Aunque los términos "alternativo" y "no ortodoxo" se suelen aplicar a las terapias complementarias, no son nombres apropiados. En primer lugar, las terapias complementarias deben utilizarse junto con las convencionales —tal y como le explicará cualquier especialista complementario responsable— y no ser una alternativa. Hoy en día, las terapias complementarias son reconocidas por muchos médicos occidentales, algunos de los cuales también las aplican.

La medicina tradicional y las terapias complementarias se basan en distintos enfoques del tratamiento. Los médicos convencionales intentan curar o tratar un problema que ya se ha presentado.

Según ellos, la artritis es una enfermedad incurable cuya causa no se conoce plenamente. Su objetivo consiste en tratar los síntomas, y a menudo recetan medicamentos para superar el dolor, la inflamación y la rigidez propia de la artritis. Estos medicamentos no siempre nos hacen sentir mejor, ni mejoran nuestra salud en general.

Las terapias complementarias son holísticas. Aspiran a potenciar las defensas naturales del organismo al tratar a la persona completa, abarcando los aspectos físico, mental, emocional y espiritual. Al ser los tratamientos complementarios holísticos, pueden favorece la salud y bienestar en su conjunto, además de tratar la artritis.

Algunas de las terapias, incluyendo la acupuntura, el shiatsu y la reflexología, se basan en la idea de la "fuerza vital" que fluye por el organismo. La enfermedad se produce cuando se bloquean los canales, o meridianos, por los que fluye esa fuerza vital. Al desbloquear los canales, el especialista puede contribuir a que el organismo recupere su buena salud.

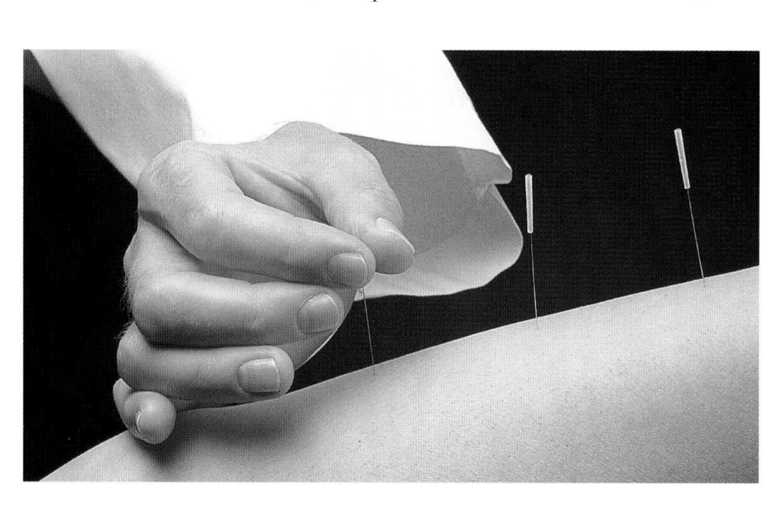

Las agujas de acupuntura estimulan puntos de los meridianos del cuerpo para favorecer el flujo del qi, la fuerza vital, a través del cuerpo y así restablecer la salud.

La elección

Existe una gran variedad de terapias complementarias de toda clase para tratar la artritis (*véanse* págs. 42-43). Existen terapias medicinales, como la homeopatía y la fitoterapia, y terapias físicas que incluyen masajes y la técnica Alexander.

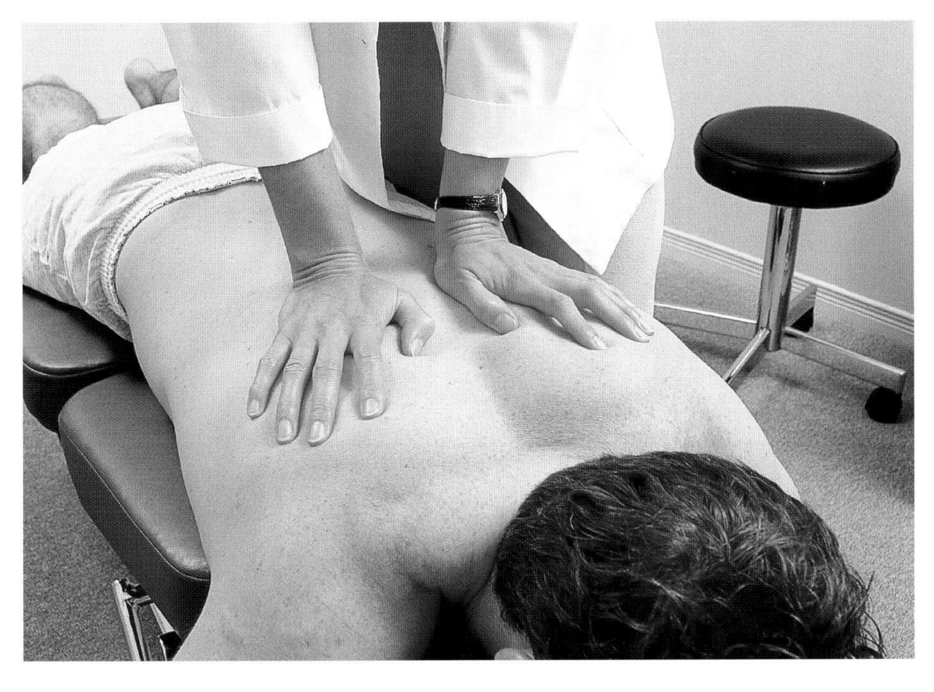

Descubrir más de

La acupuntura y la acupresión 78–81
La quiropráctica 92–93

Los quiroprácticos afirman que la capacidad innata del organismo para curarse surge del sistema nervioso central. Si la columna está mal alineada, el organismo será incapaz de restaurar el equilibrio en los tejidos y las articulaciones.

De hecho, existe tal variedad de oferta que se puede elegir entre una terapia que se aplique en casa, en una clase o en la consulta del especialista. Según el tipo y gravedad de la artritis, se puede elegir una terapia manual, como el masaje, o un programa supervisado de dieta y ejercicios. Se puede acudir a un balneario para recibir un tratamiento con agua, o acudir a algún remedio ancestral oriental, como la acupuntura o el shiatsu.

Los tratamientos complementarios exigen la participación activa del afectado. Al elegir una terapia complementaria, asumimos nuestro propio control y nos responsabilizamos de nuestra salud. También estaremos adoptando una mentalidad más positiva y optimista, lo que por sí mismo ya ayuda al proceso de curación.

Las consultas de un especialista complementario suelen durar una hora. Nos hará toda clase de preguntas sobre nosotros mismos y nuestro historial médico. Seremos tratados como un individuo, no como un caso de artritis.

¿Existe alguna desventaja en las terapias complementarias? Sí, puede que no surtan efecto tan rápidamente como la medicina convencional, y además, requieren un esfuerzo añadido por nuestra parte.

TERAPIAS DISPONIBLES

Acupresión y acupuntura
Aromaterapia
Autohipnosis
Biofeedback
Cromoterapia
Danzaterapia
Fitoterapia
Hidroterapia
Homeopatía
Masaje
Meditación
Naturopatía
Osteopatía
Psicoterapia
Quiropráctica
Reflexología
Relajación
Shiatsu
T'ai chi
Técnica Alexander
Visualización
Yoga

La elección de una terapia

La medicina alternativa es cada vez más popular para el tratamiento de enfermedades crónicas como la artritis. La desilusión por los resultados de la medicina convencional a veces lleva a los afectados hacia estas terapias inusuales que nunca habrían tenido en cuenta cuando se encontraban bien.

El aprendizaje de unas técnicas sencillas para aliviar el dolor aumentará su confianza en el control de su enfermedad.

Tras decidir probar una terapia complementaria, ¿por dónde se empieza? ¿Cómo saber si funcionará? Los médicos y psicólogos pasan por rigurosos programas de formación, pero no así todos los especialistas de medicina complementaria. Se está mejorando, pero todavía puede abrir una consulta de medicina complementaria alguien que no haya recibido ninguna formación al respecto. Hay que buscar un especialista registrado que, por ley, esté obligado a disponer de una licencia otorgada por su colegio profesional.

Muchos médicos le remitirán a un terapeuta alternativo, y algunas terapias alternativas están ya incluidas en los seguros médicos privados, siempre que tengan el respaldo de un médico cualificado.

Al evaluar una determinada terapia o dieta, hay que hacerse las siguientes preguntas:

- ¿Me importará estar casi completamente desnudo mientras me dan un masaje?
- ¿Seré capaz de seguir una dieta muy estricta?
- ¿Soportaré que me claven agujas de acupuntura?
- ¿Me sentiré cómodo hablando del proceso de mi enfermedad con un psicoterapeuta?
- ¿Tendré el tiempo y la paciencia para meditar todos los días?
- ¿Hasta dónde estoy preparado para alterar o modificar mi estilo de vida?

Otro criterio de importancia es el tiempo que estemos dispuestos a dedicarle a una determinada terapia, y cómo la integraremos en nuestra vida.

También habría que tener en cuenta los gastos implicados.

El grado de movilidad también afectará a la elección del tratamiento.

Precauciones

Decida lo que decida, no abandone su tratamiento analgésico por haber elegido otro tipo de terapia. El control del dolor y la inflamación es importante y, en la mayoría de los casos, los tratamientos alternativos funcionan bien junto con los medicamentos. Sin embargo, puede haber excepciones con algunos remedios homeopáticos o herbales, de modo que nunca hay que iniciar un tratamiento sin consultar antes con el médico. También hay que informar al terapeuta de los medicamentos que se estén tomando.

Cualquier terapeuta complementario que se precie debería estar preparado para hablar con su médico si fuera necesario. De hecho, el terapeuta podría recomendarle que acudiera a su médico convencional antes de iniciar un tratamiento complementario. Desconfíe del terapeuta que hable despectivamente de la medicina convencional.

Cuerpo y mente

Una última pregunta sería: ¿quiero que la terapia complementaria actúe directamente sobre la artritis, o que me ayude a superar la ansiedad, la depresión y el estrés asociado? Muchos artríticos sufren algún grado de depresión, y es casi inevitable sentir una cierta amargura cuando se sufre una enfermedad incurable.

Cada vez se reconoce más el efecto de la actitud mental sobre el estado físico en las enfermedades importantes. Algunas terapias alternativas, como la visualización y la meditación, ayudan a sustituir los pensamientos negativos por positivos, y nos alivian hasta reducir el dolor, pero, por útiles que sean, esas terapias no alivian directamente la artritis.

En cambio, una dieta estricta que elimine las sustancias que producen ácidos, como el alcohol, los cigarrillos, la cafeína y el azúcar blanco, y que las sustituya por alimentos alcalinizadores como verduras y legumbres, sí surtirá un efecto directo sobre las articulaciones. Sin embargo, primero hay que considerar si se va a ser capaz de seguir una dieta así.

Las terapias de manipulación, como la osteopatía y la quiropráctica, pueden aliviar y, hasta cierto punto, corregir articulaciones deformadas. La acupuntura también pretende atacar el problema. La técnica de Alexander usa medios físicos y mentales para mejorar notablemente la salud, sobre todo cuando la artritis afecta a la postura. Lo mismo se puede decir del yoga. Pero, para que funcionen, estas terapias necesitan compromiso y una práctica constante.

Descubrir más de

¿Por qué una terapia complementaria? 40–41
Elegir un terapeuta 106–107

Merece la pena dedicar un tiempo a encontrar la terapia que mejor nos vaya, y un especialista con quien nos sintamos a gusto. La relación con el terapeuta será parte integral del proceso de curación.

ASPECTOS A CONSIDERAR

Hay una gran variedad de terapias complementarias. A la hora de elegir una, deberá tener en cuenta lo siguiente:

- *No se ha demostrado la existencia de una cura para la artritis. Desconfíe de cualquier terapeuta que afirme que la hay.*
- *Todas las terapias complementarias exigen una participación activa, y ésta puede consumir mucho tiempo.*
- *Hay que asegurarse de que el terapeuta tenga una formación acreditada. Para confirmarlo, deberá consultar al colegio profesional correspondiente.*
- *Antes de decidirse por una terapia costosa, solicite hablar con algún cliente satisfecho.*
- *Consulte con su médico antes de iniciar una terapia alternativa.*

El yoga

El yoga se desarrolló hace más de 2.000 años como un medio para ayudar en la meditación y favorecer la circulación de la energía espiritual por el cuerpo. Se basa en la idea del control del cuerpo y la mente a través de medios suaves y eficaces.

Esta ancestral disciplina aporta armonía a los distintos sistemas del cuerpo, a la vez que aumenta la flexibilidad y mejora la postura. El término "yoga" significa "unión". Posee dos aspectos diferentes, pero conexos: *pranayama*, o respiración y *asanas*, o posturas. El yoga estuvo limitado a Oriente, y era practicado casi con la única finalidad de lograr la iluminación espiritual, hasta después de la Primera Guerra Mundial en que empezó a hacerse popular en Occidente, como parte de la nueva "cura natural". Las posturas de yoga se practicaban en balnearios y sanatorios en toda Europa, aunque la disciplina aún era considerada "excéntrica" por la mayoría de los occidentales.

Sin embargo, tras la Segunda Guerra Mundial, el yoga se hizo muy popular como medio para mantenerse en forma, añadiendo un poco de espiritualidad. El maestro de yoga Richard Hittleman, y más tarde Lyn Marshall, presentaron el yoga al gran público del Reino Unido en sus famosos programas de televisión de las décadas de 1960 y 1970.

Hoy en día, se puede asistir a clases de yoga en casi todos los gimnasios, y existen numerosos libros y vídeos disponibles sobre el tema, así como retiros y ashram que ofrecen cursillos.

El yoga se define, humorísticamente, como "el antiguo arte de convertirte en un nudo", luego ¿qué beneficio puede reportarle al artrítico? Para lograr algunas de las posturas habría que ser casi un gimnasta profesional, e incluso las asanas más sencillas son excesivas para la mayoría de los artríticos.

Piernas levantadas apoyadas

Esta postura produce un suave estiramiento, ideal para quienes sufren rigidez. Tumbado de espaldas, con las piernas estiradas y apoyadas contra la pared, estire los brazos por encima de la cabeza. Aguante mientras se sienta cómodo.

La terapia del yoga

La respuesta reside en una forma adaptada de yoga, o terapia de yoga. Es más suave y sencilla que el yoga habitual, y tiene en cuenta la rigidez e inmovilidad de las articulaciones artríticas. La terapia de yoga para la artritis existe en Occidente desde hace más de 40 años, pero sólo en centros especializados.

Sin embargo, durante los últimos años, la fundación *Yoga Biomedical Trust*, fundada por el doctor Robin Munro, ha investigado y desarrollado una forma de yoga destinada a personas que padecen enfermedades crónicas o graves, y que continúa dejando perplejos a los profesionales médicos. Tras curar su propia asma mediante la práctica de *pranayama*, el doctor Munro decidió dedicar su vida a investigar los beneficios terapéuticos de las diferentes formas de yoga. Él y su equipo trabajan

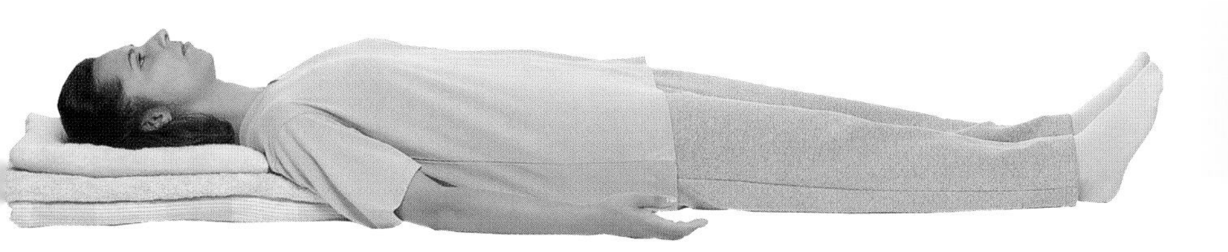

Descubrir más de
El yoga 46–47
La relajación 58–59
Elegir un especialista 106–107

estrechamente con médicos ortodoxos y llevan a cabo investigaciones clínicas en la mayoría de los hospitales universitarios británicos. La idea es analizar esta ancestral disciplina mediante métodos de investigación clínica modernos, para averiguar exactamente cómo y por qué funciona, y la mejor manera de adaptarla para proporcionar el máximo alivio en las enfermedades intratables.

La terapia de yoga es muy diferente del yoga común, ya que ha sido adaptada y modificada para los artríticos. Un caso aparte es la osteoartritis, que afecta sobre todo a personas mayores y que se debe al desgaste de las articulaciones, y la artritis reumatoide, que afecta a todo el cuerpo y que puede causar problemas en la vista y el corazón, además de rigidez, dolor e inflamación en las articulaciones.

Beneficios del yoga

Si sufre artritis, tenderá a no hacer trabajar las articulaciones y, como resultado, éstas estarán cada vez más rígidas y doloridas. Aunque los medicamentos alivian el dolor, no suelen restablecer la movilidad. Uno de los principales beneficios del yoga para la artritis es que los pacientes aprenden a hacer trabajar sus articulaciones. Se logra al acompañar los movimientos adecuados de una respiración y relajación yóguica especial. Al ser tan especializada, la terapia de yoga —tanto la respiración como los ejercicios— debe aprenderse de alguien que haya seguido una formación específica. Es adecuada para quienes gustan de acudir a una clase y de asumir el reto de aprender algo nuevo.

En cuanto la articulación empiece a funcionar de nuevo, los artríticos aumentan a menudo su rango de movimientos. Todo el mundo es capaz de realizar algún ejercicio, aunque sólo sea trabajar ligeramente las manos y los pies.

Postura del cadáver

Ayuda a relajar completamente el cuerpo y la mente. Tumbado de espaldas con las extremidades rectas, pero relajadas, apoye la cabeza sobre una toalla o manta doblada. Respire profunda y suavemente y deje que la respiración se vuelva lenta y regular. Aguante al menos 15 minutos.

Postura apoyada del cadáver

Postura especialmente relajante para la espalda. Tumbado de espaldas con la cabeza apoyada sobre una toalla o manta doblada, suba las piernas, flexionadas por las rodillas, sobre una silla o taburete. Respire uniformemente y permanezca así unos minutos. Si se distrae, cierre los ojos para concentrarse.

El yoga

Una terapia para cada uno

La gente suele pensar que no puede practicar yoga si sufre artritis, pero se ha demostrado que hasta los pacientes más impedidos son capaces de realizar alguna forma de yoga, sin efectos secundarios.

Los ejercicios son muy suaves, a diferencia de los movimientos del yoga habitual, y pueden adaptarse para quienes se muevan en silla de ruedas.

El efecto beneficioso de la terapia de yoga no se limita a las articulaciones. El yoga mejora la circulación y, aunque no cura la artritis una vez iniciado el proceso, puede ayudar a impedir la acumulación de productos de desecho en las articulaciones. El yoga también conserva el buen estado de los músculos y ayuda a drenar las toxinas del sistema linfático.

Los pacientes empiezan a sentirse mejor tras la primera sesión y, a diferencia de lo que sucede con la medicina convencional, todos los efectos secundarios son beneficiosos. Cuanto más se practica el yoga, más beneficiosa será la terapia. Lo ideal es practicar un yoga suave a diario, sin sobrepasar los límites de lo aprendido en las clases.

La terapia de yoga también ejerce un efecto beneficioso sobre la depresión y la ansiedad que suele generar la artritis. Todo dolor crónico provoca depresión y, aunque se tomen antidepresivos, no se hace más que aumentar la cantidad de medicamentos ingeridos. Un aspecto importante del yoga es el enfoque cuerpo-mente. Funciona como una especie de terapia cognitiva.

Una práctica constante

No hace falta informar al médico de que asiste a clases de yoga, aunque sí sobre cualquier otro tratamiento alternativo que siga. Los pacientes deben siempre seguir con la medicación que estén tomando. El yoga no va a interferir con ninguna medicación para la artritis.

Tras terminar el curso, los pacientes deben continuar practicando en sus casas, y a lo mejor realizar algún curso de

CASO CLÍNICO

En 1974, Suzanne resultó gravemente herida en un accidente de coche. Tras recuperarse, empezó a desarrollar artritis. Los médicos le advirtieron de que seguramente no recuperaría el pleno uso de sus piernas. Ella empezó a interesarse en el yoga tras ver un programa de televisión, y decidió probarlo.

—Empecé a asistir a clases de yoga y pronto sentí fluir en mi interior la energía vital. Recobré la confianza en mi cuerpo y fui capaz de aprender la relajación consciente.

Ahora practico yoga regularmente. Cada vez que siento rigidez en mis articulaciones, respiro para llevar el aire a las zonas afectadas. Creo que lo más importante de la terapia es la relajación. El yoga mantiene la movilidad de las articulaciones y funciona para cualquier parte del cuerpo.

Tenía veintitantos años cuando sufrí el accidente, y estoy convencida de que, sin la práctica regular del yoga, ahora estaría completamente paralítica, y seguramente confinada en una silla de ruedas de por vida.

recordatorio. No se puede aprender la terapia de yoga en unas pocas semanas; hace falta incorporarla a nuestra vida. El movimiento que se recupere en las articulaciones dependerá de lo grave que sea la artritis.

No existe ningún método que garantice la prevención de la artritis, pero las investigaciones demuestran que quienes practican yoga durante años tienen menos probabilidades de sufrir esta enfermedad, al menos en su forma más grave y debilitadora.

Postura sentada

Sentado con las piernas estiradas y los pies juntos, sujétese con las manos y arquee la columna.

Descubrir más de

El ejercicio 148–151

Recursos útiles 155

Brazos levantados

De pie en una postura relajada, pies juntos, rodillas ligeramente flexionadas y manos a los lados, levante los brazos, con los hombros relajados, por encima de la cabeza mientras inspira. Aguante todo lo que pueda.

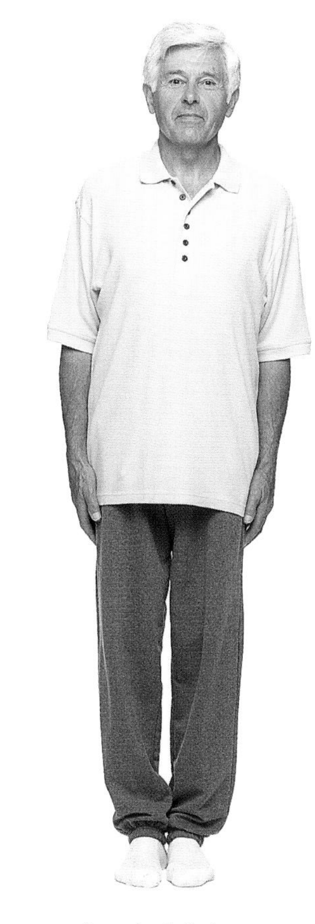

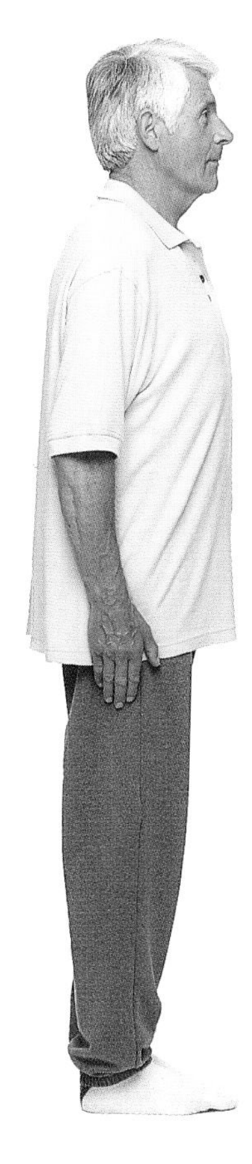

Postura de pie básica

De pie y relajado, respire con el abdomen. Relaje los hombros. Eche el cuello hacia atrás y las caderas hacia delante para mantener la columna recta. El peso debe estar centrado en la planta del pie.

El tai chi chuan

Según la filosofía taoísta, la grulla representa la consciencia universal.

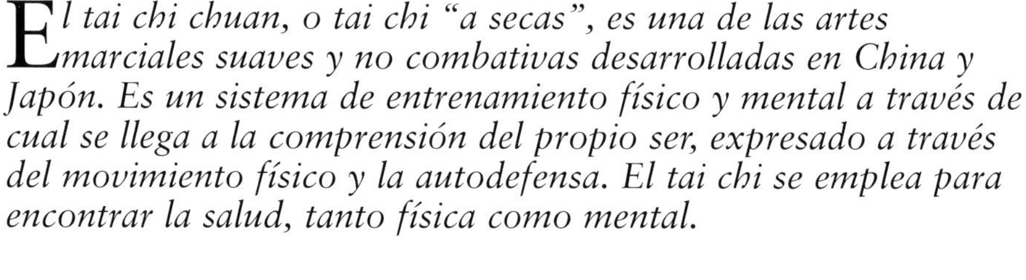

El tai chi chuan, o tai chi "a secas", es una de las artes marciales suaves y no combativas desarrolladas en China y Japón. Es un sistema de entrenamiento físico y mental a través de cual se llega a la comprensión del propio ser, expresado a través del movimiento físico y la autodefensa. El tai chi se emplea para encontrar la salud, tanto física como mental.

El sistema chino de tai chi se cree que tiene su origen varios siglos atrás cuando un monje taoísta, Chang San Feng, inventó los movimientos que conocemos hoy, tras soñar con un extraño encuentro, mitad danza, mitad lucha, entre una serpiente y un pájaro. Las posturas tradicionales expresan la fusión entre la eternidad y el presente, el cielo y la tierra.

Cuando Mao Tse-tung subió al poder en China, en 1949, estableció el tai chi como práctica de salud universal a llevar a cabo cada mañana. Las posturas tradicionales fueron reducidas a 24 movimientos para facilitar su práctica entre la población.

Artritis y tai chi

Los defensores del tai chi afirman que mejora el flujo de oxígeno en sangre y

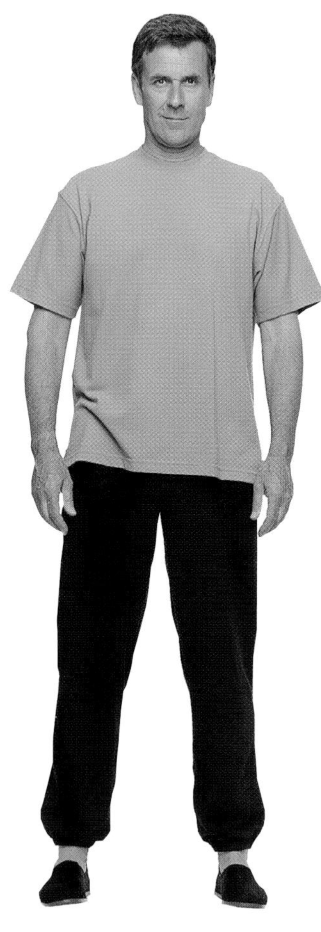

1 De pie con los pies alineados con los hombros y al frente, relaje los brazos y los hombros.

2 Rodillas desbloqueadas y abdomen relajado. Levante lentamente los brazos hasta la altura del pecho mientras gira las palmas de las manos hacia abajo. Abra ligeramente los dedos.

3 Cruce los brazos por delante del pecho. Adelante el pie derecho y bascule el peso del cuerpo sobre el pie izquierdo y, al mismo tiempo, y mientras se adelanta el peso del cuerpo, estire los brazos desde los codos.

abre las articulaciones del cuerpo, sobre todo las rodillas, aliviando enfermedades inflamatorias como la artritis. El alivio del dolor, un importante motivo de preocupación entre los artríticos, no es más que uno de los beneficios que aporta el tai chi.

Lo más atractivo para quien padezca artritis es que el tai chi armoniza cuerpo y mente, restaura el equilibrio en los sistemas del cuerpo, estimula el sistema inmunológico, mejora la circulación, estimula el flujo de energía y favorece la eliminación de toxinas de los músculos y articulaciones del cuerpo. Todo ello se consigue de forma relajada y suave, sin imponer más esfuerzo al maltrecho cuerpo.

Aprender de un profesional

La mejor manera de beneficiarse del tai chi es aprendiendo las posturas con un maestro cualificado. Se puede elegir el número de posturas que se desea aprender. Practicar las 24 posturas diariamente beneficiará a su salud en general.

Realizar todas las posturas, incluidas las repeticiones, lleva unos 20 minutos. Puede animarse a aprender una forma corta con algunas de las posturas, ya que cada una sólo requiere de cinco a diez minutos para llevarse a cabo. Una vez aprendidas las posturas elegidas, podrá practicar tai chi en su casa, en el jardín, o en algún lugar público.

Descubrir más de

Elegir un especialista 106–107
El ejercicio 148–151

4 *Con los codos ligeramente flexionados y las palmas hacia abajo, mueva las manos hacia el frente y sepárelas hasta que estén alineadas con los hombros y los dedos apunten al frente.*

5 *Bascule lentamente el peso hacia el pie derecho mientras flexiona la rodilla. Mantenga la espalda recta. Acerque las manos hacia la cintura, separándolas gradualmente. Levante los dedos del pie izquierdo.*

6 *Adelante el pie derecho y transfiera el peso al pie izquierdo mientras coloca la pantorrilla izquierda en posición casi vertical. Desplace las manos al frente y hacia arriba hasta el nivel de los hombros.*

La aromaterapia

Desde hace siglos se sabe que determinados aceites aromáticos, destilados de las plantas, poseen notables propiedades curativas. La mayoría conocemos la aromaterapia como un tratamiento de belleza y relajación. Los productos de aromaterapia se hallan fácilmente en forma de aceite de masaje o de baño.

Los aceites esenciales se extraen de las hojas, pétalos, semillas, raíces o corteza de una planta, a través de un proceso de prensado en frío o destilación con vapor. En el proceso de extracción, no debe añadirse ninguna otra sustancia química o aditivo.

Los antiguos egipcios, con su amor por la sensualidad y los perfumes, se consideran los creadores de la aromaterapia. Utilizaban aceites aromáticos para dar masajes, curar y embalsamar. Las momias egipcias deben su extraordinario estado de conservación a los poderes de las esencias de las plantas. De hecho, los arqueólogos han identificados aromas de madera de cedro y mirra en los vendajes de momias de hasta 3.000 años.

El antiguo arte revivió en Francia en la década de 1920, cuando un químico, René Gattefossé, redescubrió las grandes propiedades antisépticas de ciertas plantas aromáticas. Mientras trabajaba en su laboratorio, se quemó la mano tras una explosión, y la sumergió en un cuenco que contenía esencia de lavanda.

Gattefossé se quedó atónito por la rapidez con que se curó la herida. En consecuencia, decidió investigar seriamente las propiedades medicinales de los aceites esenciales. Sus descubrimientos fueron publicados en 1928 en un libro llamado *Aromaterapia*.

La aromaterapia en la actualidad

El fundador de la aromaterapia clínica moderna fue Jean Valnet, un médico francés y cirujano militar que utilizaba aceites esenciales para tratar las quemaduras y heridas de los soldados durante la Segunda Guerra Mundial. El doctor Valnet descubrió que ciertos aceites tenían el poder de aliviar problemas psiquiátricos, como el trauma de guerra, provocados por la contienda.

El doctor Valnet fue uno de los primeros médicos en utilizar aceites esenciales por vía interna y, en Francia, la aromaterapia es ampliamente utilizada en la actualidad por los médicos convencionales.

El poder de ciertos aceites esenciales para aliviar los dolores artríticos y reumáticos se descubrió accidentalmente, como un inesperado, aunque bienvenido, efecto secundario del tratamiento con esencias de plantas.

La bioquímica austriaca Marguerite Maury fue una de las primeras terapeutas en emplear la aromaterapia como tratamiento holístico para cuerpo y mente. Su trabajo se inspiró en Gattefossé, pero ella añadió una técnica de masaje especial que consistía en aplicar aceites esenciales a lo largo de los centros nerviosos de la columna.

Aunque Maury trataba sobre todo a clientes adinerados que no buscaban más que un tratamiento rejuvenecedor, algunos empezaron a sentir espectaculares mejorías en sus dolores artríticos y reumáticos. Esos efectos duraban semanas, o incluso meses después de la finalización del tratamiento. Uno de los alumnos destacados de Marguerite Maury, Daniele Ryman, dirige una clínica de aromaterapia pionera en Londres, y ha continuado con el trabajo de Maury.

¿Qué son los aceites esenciales?

Son componentes aromáticos líquidos y volátiles de las plantas olorosas. Estos líquidos se encuentran en diferentes partes, según la planta: en los pétalos (rosas), en las hojas (eucalipto, laurel), en la madera (madera de sándalo) o corteza, en el fruto (limón, naranja), en las semillas (comino, pimienta negra), en las raíces (sasafrás), en los rizomas (jengibre) o en la resina (pino).

A veces, las sustancias aromáticas se encuentran en más de una parte de la planta. La lavanda, por ejemplo, produce aceites aromáticos tanto en sus flores como en sus hojas. El naranjo produce esencias aromáticas en las flores, las hojas y el fruto.

Las plantas producen estos aceites sólo para su propia supervivencia. Algunos aceites influyen en el crecimiento y la producción, otros atraen a los insectos o repelen a los depredadores, y otros tienen por objeto proteger de enfermedades.

Los verdaderos aceites de aromaterapia suelen ser caros por la gran cantidad de pétalos, hojas o raíces que se necesitan para producir una pequeña cantidad de aceite esencial. Los aceites están muy concentrados (nunca deben utilizarse directamente sobre la piel) y una pequeña cantidad dura mucho tiempo.

Los análisis de laboratorio muestran que los aceites esenciales poseen una química compleja. Contienen cientos de elementos diferentes, y muchos de ellos no han sido analizados por completo.

Curar con aceites

¿Cómo alivian estos aceites la artritis? A lo largo de los siglos se ha descubierto que los aceites esenciales poseen una serie de propiedades terapéuticas. Al tener como objetivo fundamental la supervivencia de la planta, todos son antisépticos. Además, algunos poseen propiedades antivíricas o antiinflamatorias. Los aceites favorecen el proceso natural de autocuración del organismo. Actúan directamente sobre el sistema nervioso central, y cada aceite posee propiedades diferentes.

Algunas esencias son relajantes y otras estimulantes. Hay aceites con capacidad para normalizar los síntomas del organismo. Por ejemplo, el ajo, que suele tomarse en píldoras más que como ungüento de masaje, puede reducir la hipertensión y elevar la tensión baja.

Los aceites esenciales poseen la capacidad de aliviar la artritis a diferentes niveles. En primer lugar, los aceites adecuados pueden calmar la inflamación y reducir el dolor. Reducen la tensión muscular, que puede acompañar al dolor de la artritis. En segundo lugar, se produce un notable efecto cuerpo-mente, ya que muchos aceites contribuyen a aliviar la ansiedad, la depresión y la ira.

Descubrir más de

La aromaterapia 52–53
La fitoterapia 82–85
Elegir un especialista 106–107

La aromaterapia

Los aceites de aromaterapia siempre deben diluirse en un aceite vehicular antes de aplicarse sobre la piel (a razón de dos o tres gotas de aceite esencial por cada 2-3 cucharaditas de aceite vehicular, aunque, ante la duda, debe consultarse con un aromaterapeuta cualificado). Esta mezcla puede aplicarse en una compresa.

El masaje de aromaterapia favorece la relajación, algo complicado de lograr cuando se sufre dolor, rigidez o inmovilidad debido a la artritis. Un masaje con aceites esenciales también nos hace sentir mimados, cuidados y nos alivia, todo lo cual favorece un estado mental positivo que ayuda enormemente en el proceso curativo físico.

Como sucede con otros tratamientos complementarios, la aromaterapia no puede curar la artritis, pero puede aliviar o mejorar su estado. Dado que los efectos pueden ser fuertes, el aromaterapeuta debería ser alguien formado para tratar a los artríticos. Un masaje de aromaterapia debería considerarse un tratamiento médico, más que de belleza.

El factor estrés

Los aromaterapeutas piensan que los aceites esenciales afectan a nuestra salud sobre todo a nivel mental y emocional. Las sustancias químicas de los aceites influyen directamente en nuestro cerebro para estimular el pensamiento positivo y el optimismo. El alivio del estrés pone en marcha el proceso curativo y alivia cualquier problema físico debido a la acumulación de estrés y tensión.

Patricia Davis, otra pionera de la aromaterapia como tratamiento médico, adquirió una artritis grave a los 26 años. Le recetaron medicamentos que luego demostraron ser peligrosos, y su estado decaía poco a poco. La combinación de una dieta sana y equilibrada y de la aromaterapia alivió su artritis.

Davis se formó como aromaterapeuta en la década de 1960, época en la que el tratamiento era denostado por los médicos ortodoxos. Hoy la aromaterapia ya es plenamente aceptada.

Si le interesa el uso de aceites esenciales para tratar la artritis, es aconsejable acudir en primer lugar a un aromaterapeuta cualificado, quien recomendará el régimen holístico adecuado para su problema, estilo de vida e inclinación particular. Los colegios profesionales pueden ponerle en contacto con aromaterapeutas cualificados.

Descubrir más de

La naturopatía	64–65
El masaje	68–73
La dieta	142–147

ACEITES PARA LA ARTRITIS

Los siguientes aceites y esencias de aromaterapia han demostrado su utilidad en el alivio del dolor y la inmovilidad de la artritis.

Cajeput	*Clavo*	*Mejorana dulce*	*Tomillo dulce*
Camomila	*Enebro*	*Olíbano*	
Cilantro	*Lavanda*	*Pimienta negra*	
Ciprés	*Limón*	*Salvia*	

Nota: Los aceites se comercializan en frasquitos marrones o azules. Siempre deben mezclarse con un aceite vehicular, de oliva, girasol o soja, antes de utilizarse, y jamás deben aplicarse directamente sobre la piel. Al ser los aceites extremadamente volátiles, los frasquitos deben guardarse siempre cerrados. Los tratamientos de aromaterapia, ya mezclados, para aplicar directamente sobre la piel, se venden en botellas con la etiqueta "aceite de masaje".

Tratamiento para la artritis

Los siguientes tratamientos de aromaterapia son adecuados para un tratamiento casero y seguro de la artritis. Han sido formulados por Daniele Ryman:

1. Humedezca una pequeña toalla en una palangana con agua muy caliente que contenga 15 ml (1 cucharadita) de vinagre de sidra, dos gotas de aceite de pino, dos de ciprés y una gota de aceite de lavanda.

Aplique estas compresas por la mañana y por la noche sobre las zonas afectadas. Después, aplique aceite de oliva o de nuez y mantenga la zona caliente.

2. Prepare una emulsión con un champú suave y sin perfume que contenga una gota de aceite de pino, otra de enebro y otra de ciprés. Llene la bañera de agua caliente y añada la emulsión.

Sumérjase en la bañera tanto tiempo como sea posible. Después, envuélvase en un albornoz caliente y descanse sobre la cama durante 10 minutos.

Aceite de pimienta para masaje

Este aceite es muy calorífico y puede ayudar a aliviar el dolor de la artritis.

Hace falta:

10 ml (2 cucharaditas) de aceite de soja
2 gotas de aceite de germen de trigo
3 gotas de aceite de pimienta

Mezcle los ingredientes y, con un masaje, aplíquelo a la zona afectada. Después, cubra esa zona con una compresa caliente.

NOTA: Aunque los tratamientos de aromaterapia pueden ayudar a aliviar el dolor y la inflamación de la artritis, el alivio no está garantizado. Éstos ayudarán a algunas personas más que a otras. Funcionan mejor junto con una dieta antiartritis y un régimen globalmente sano y holístico.

Los aceites caloríficos pueden sensibilizar la piel tras el tratamiento. Para calmarla, frótese con aceite de soja.

La meditación

La meditación es la principal terapia de control mental. Permite al artrítico alcanzar un nivel más profundo de consciencia y, al hacerlo, lograr alivio del dolor y los problemas cotidianos asociados a la artritis.

La práctica de acallar la mente de manera consciente se practica en Asia y el lejano Oriente desde hace miles de años. La meditación se ha convertido en un medio popular para enfrentarse al estrés, la tensión y la ansiedad de la vida moderna.

Desde los años 1960, la meditación ha sido objeto de investigación científica para intentar descubrir exactamente cómo beneficia a las personas. Los estudios llevados a cabo con métodos modernos han demostrado que la meditación regular puede producir una profunda mejora en la salud del cuerpo y de la mente.

Los beneficios de la meditación

La meditación puede aumentar los niveles de energía, mejorar la concentración y la salud física, y aliviar el dolor. También puede normalizar la actividad hormonal, mejorar la circulación sanguínea, estimular el sistema inmunológico y liberar la tensión muscular.

La respuesta de la relajación

Cualquier tipo de estrés, incluido el derivado de enfrentarse al dolor crónico, la rigidez y la inmovilidad, afecta seriamente a múltiples funciones del organismo. Cuando alguien se siente estresado, por cualquier motivo, el sistema de alerta del organismo se pone en “nivel rojo” y empieza a segregar una gran cantidad de adrenalina. Esto provoca una permanente sensación de ansiedad e incomodidad de la que quizá no seamos conscientes en un primer momento. Cuando esto sucede, se altera la capacidad de relajación, incluso durante los periodos de sueño.

No hace falta concentrarse en una imagen para meditar con éxito, pero, para empezar, muchas personas encuentran que una imagen relajante ayuda a mantener a raya los pensamientos.

La meditación tiene el poder de reducir gradualmente los niveles de estrés, de modo que los mecanismos de curación del cuerpo puedan, una vez más, actuar.

La meditación permite que las ondas cerebrales pasen de beta —el estado normal de vigila— a alfa, la frecuencia a la que se produce la curación, la creatividad y el pensamiento positivo. En el estado alfa, la mente se acalla, se vuelve receptiva y siente más que piensa.

El compromiso de la relajación

La meditación no produce ningún efecto secundario negativo, y puede practicarse sin restricción de lugar y hora. Sin embargo, es un arte que debe aprenderse, y practicarse a diario, para obtener beneficios. Para la mayoría de la gente, el arte de estar relajado y consciente a la vez no es algo natural. Requiere un esfuerzo insistente aprender las técnicas.

Hoy en día, existen muchas escuelas de meditación, y muy diversas maneras de meditar. A ciertas personas les resulta más fácil meditar en una clase, con la ayuda de un guía. Otras prefieren estar solas. La meditación puede aprenderse fácilmente en casa. Para empezar, conviene comprar alguna cinta que nos guíe en la meditación y evite que nos aburramos, o durmamos, antes de dominar el arte de la concentración relajada.

Puede que nuestra mente empiece a divagar y a pensar en cosas triviales, como qué hay para cenar o qué incluir en la lista de la compra. Una manera de acallar la mente es centrándose en algo —la llama de una vela, o una imagen espiritual— a lo que volver cada vez que la mente empiece a divagar. No hace falta mantener los ojos cerrados.

La meditación ha demostrado su eficacia en el alivio del dolor, y se utiliza cada vez más en los hospitales, clínicas del dolor y residencias, con esa finalidad. Requiere dedicarle un cierto tiempo a la práctica diaria, pero los resultados lo compensarán con creces. El efecto de cada sesión de meditación dura únicamente unas pocas horas, y por eso se recomiendan dos sesiones al día.

Descubrir más de

La relajación 58–59
La autohipnosis 60–61
El biofeedback 99

La visualización

Las técnicas de visualización para el alivio del dolor y las enfermedades graves se desarrollaron en la década de 1960 cuando los oncólogos Carl y Stephanie Simonton descubrieron que si los pacientes podían imaginarse que las células cancerosas encogían y se esfumaban, a menudo sucedía justamente eso.

Utilizar la imaginación como ayuda para sanar puede dar muy buenos resultados. La visualización es la capacidad para imaginarse a uno mismo bien, o con éxito, y en un estado óptimo de salud. Al inducir ese estado mental, se pueden producir unos efectos profundamente beneficiosos sobre el organismo.

La visualización se ha convertido en parte integral de los cuidados complementarios oncológicos, y es una terapia impartida en numerosos hospitales oncológicos. Estas técnicas pueden adaptarse fácilmente a otras enfermedades graves y crónicas, incluida la artritis.

En el caso de la artritis, la visualización consistiría en imaginarse las articulaciones, retorcidas y doloridas, funcionando perfectamente de nuevo, e imaginarse una vida sin dolor o discapacidad.

Los resultados varían mucho en función de la personalidad del paciente. La técnica funciona mejor con personas que tienen mucha imaginación, o con aquellas que permiten que su mente se exprese libremente. Quizás por esta razón, los niños y los jóvenes tienen más éxito que los adultos, aunque cualquiera puede obtener buenos resultados si concede la libertad necesaria a su mente.

Elija una postura cómoda, y un lugar tranquilo. Relájese y respire con tranquilidad y deje divagar a su mente.

Prepararse

Para practicar la visualización creativa, hay que sentarse o tumbarse en una posición cómoda, antes de acallar la mente. A continuación, se da rienda suelta a la imaginación y se piensa en cómo mejoraría nuestra vida. Todas las fantasías están permitidas.

Intente imaginarse en un lugar donde se sienta feliz. Algunas personas se sitúan junto al mar y bajo el cálido sol. Tiene que imaginarse feliz y bien, sin dolores y con una visión de futuro positiva.

Tras unos minutos, deberá centrarse en el aspecto concreto de su vida que más desee cambiar. Intente imaginarse cómo le gustaría ser y empiece a creer que se producirá el cambio.

El proceso no tiene por qué durar más de 30 segundos, pero suele requerir unos minutos. Una vez centrado en las principales necesidades, empiece a pensar en cómo, y si, se empiezan a lograr.

Las afirmaciones

El paso siguiente consiste en hacer una serie de afirmaciones, escritas o pronunciadas en voz alta, pero siempre expresadas en presente, más que en futuro.

Una afirmación podría ser: "Estoy bien y mis articulaciones son flexibles y móviles", o expresado de otra manera, "Atraigo el bienestar y la movilidad a mi vida".

La visualización, junto con otras técnicas mentales, funciona mediante un mecanismo específico. Primero, deberá decidir qué quiere crear, y luego fabricar una imagen mental del resultado. Cuanto más a menudo repita el proceso, mayor será la concentración en la meta, y mayores las posibilidades de lograr los resultados deseados. Las afirmaciones se basan en la misma técnica: el refuerzo. Con el tiempo, y mediante la repetición, será consciente de lo que quiere lograr y de cómo conseguirlo.

Ejercicios prácticos

Las siguientes visualizaciones mejoran la salud física:

1. Relájese todo lo posible. Intente proyectar su consciencia sobre el pie. Compruebe cuánta parte del pie es capaz de sentir con la mente. Haga lo mismo con las piernas. Siéntalas con la mente. Ascienda poco a poco por el cuerpo mientras intenta visualizar el interior de su cuerpo. Visualícelo todo en buen estado y fuerte.

2. La visualización de la "luz blanca" funciona bien en caso de enfermedad grave. En primer lugar, siéntese con la espalda lo más recta posible. Intente visualizar un estanque de luz blanca en la base de la columna. Respire hondo y aguante la respiración un par de segundos. Mientras espira, visualice la luz blanca ascendiendo por la columna y saliendo por la coronilla y, a continuación, cayendo en una cascada de luz sanadora por todo el cuerpo. Repita el ejercicio. Cada vez que espire, sienta la intensa luz blanca que asciende por la columna y se vierte por el cuerpo como una lluvia divina, mientras cura todo lo que toca.

3. Los artríticos deben desarrollar el hábito de visualizar las zonas enfermas como fuertes y sanas y las articulaciones en perfecto funcionamiento. Visualícese mientras camina sin dolor, incluso mientras corre, e imagine todo lo que podría hacer con su cuerpo, sano y fuerte.

La mejoría deseada se consigue por medio de la energía o fuerza vital subyacente en la imagen, junto con la técnica de refuerzo.

Antes de realizar ningún ejercicio de visualización, procure imaginarse en un lugar tranquilo y agradable. Puede ser una manera eficaz de calmar la mente.

La relajación

La terapia de relajación no produce un beneficio inmediato. Sin embargo, tras practicar alguna técnica de relajación sistemáticamente durante unas semanas, se puede lograr un considerable alivio del dolor y una mayor movilidad.

La acumulación de tensión y estrés en el cuerpo durante mucho tiempo desencadena muchas reacciones físicas adversas en el organismo. Por ejemplo, puede sentirse desprovisto de energía, con una mayor tensión muscular y presión arterial, y con problemas circulatorios.

Las técnicas de relajación que calman el sistema nervioso y liberan la tensión muscular son excelentes para hacer frente al dolor de la artritis sin necesidad de tomar más analgésicos. La capacidad para relajarse también contribuye a la normalización del resto del organismo.

Aprender a respirar

La tensión ante el dolor constante favorece una mala postura y altera la digestión, pero sobre todo puede conducir a hiperventilación, un tipo de respiración superficial, parecida a un jadeo, que al final altera la composición química de cada célula del cuerpo, y sitúa al organismo en continuo estado de alerta.

Es imposible relajarse si no se respira profunda y lentamente. Para las personas sometidas a un dolor constante, puede ser necesaria una considerable práctica para lograrlo.

Ejercicio respiratorio

Intente incorporar a su vida este sencillo método de respiración relajada.

En primer lugar, busque la postura más cómoda posible y procure que el peso esté uniformemente distribuido entre ambos lados del cuerpo. Cuanta mayor sea la simetría, más fácil será respirar

UNA TÉCNICA CON MÚSICA

Si le gusta la música, la relajación musical puede serle de utilidad.

Tumbado o sentado cómodamente, empiece por silenciar su mente.

Después, sintonice con el ritmo de la respiración.

Tras relajar por completo la respiración, ponga alguna melodía de su gusto. No importa que tenga que levantarse para hacerlo.

En cuanto empiece a sonar la música, empiece a respirar acompasadamente y absorba los ritmos por completo. Continúe respirando profunda y lentamente durante el tiempo que dure la melodía.

Cuando la música termine, no salga bruscamente de su estado, ni corra a realizar ninguna actividad; vuelva paulatina y suavemente a su estado normal de vigilia y a su entorno.

relajadamente. Apague la luz y procure que el entorno sea lo más sereno y silencioso posible.

Cierre los ojos y preste atención a la respiración, permitiendo que se vuelva más prolongada, lenta y profunda. Respire profundamente con el abdomen, expandiendo el estómago al inspirar y hundiéndolo al espirar.

Con cada inspiración, repítase: "Profunda, larga y lenta", y con cada espiración, "Lenta, larga y profunda". Puede que su mente se distraiga, pero, cada vez que suceda, céntrela de nuevo en la respiración.

A medida que respira más profunda, larga y lentamente, será consciente de que todo el cuerpo respira más profundamente. Al inspirar, imagine la entrada de un flujo de energía pura. Al espirar, imagine que el dolor fluye hacia fuera.

Para finalizar con la relajación, desperécese lentamente, abra los ojos, siéntese y, por último, póngase de pie muy despacio.

Empiece por practicar esta respiración relajada durante cinco minutos y, poco a poco, aumente la duración a medida que se vaya acostumbrando.

Descubrir más de

La meditación 54–55
El biofeedback 99

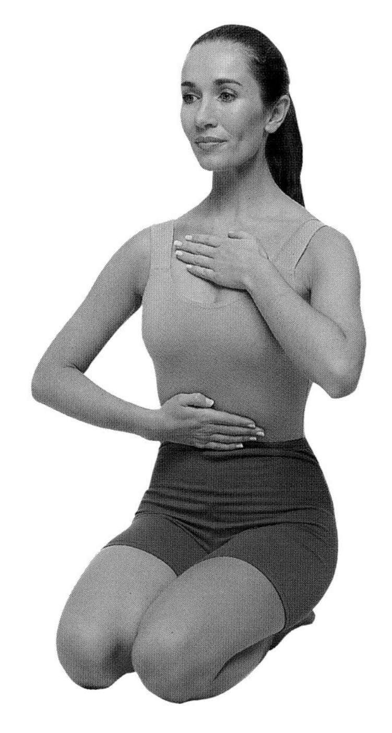

1 *Sentado cómodamente, con las piernas cruzadas o sobre los talones. También puede sentarse en una silla, preferentemente con el respaldo recto, o tenderse sobre una alfombra en el suelo.*

2 *Con la mano derecha sobre el abdomen, bajo la caja torácica, y la izquierda en el centro del pecho, mientras respira con el abdomen, la mano de abajo debería moverse de dentro afuera y la de arriba debería estar inmóvil.*

3 *Apoye las manos sobre el regazo, con los pulgares en contacto. Cuente hasta 10 mientras respira por la nariz, aguante la respiración unos segundos y espire lentamente. Repita 10 veces. Si surge algún pensamiento, deje que fluya y vuelva a desaparecer.*

La autohipnosis

La autohipnosis puede sonar exótica, pero, al menos en su aspecto médico, se trata más de una forma profunda de relajación que de la capacidad para entrar en trance. Una vez alcanzado el estado de relajación profunda, pueden darse instrucciones que la propia mente y el cuerpo obedecerán.

Céntrese en un patrón de repetición, como un tramo de escaleras o una calle bordeada de árboles para facilitar la autohipnosis: cada escalón le acerca al estado de relajación total.

Durante los últimos años, las técnicas de autohipnosis han sido utilizadas con gran éxito para reducir el dolor, incluso el de la artritis. En concreto, la autohipnosis ha demostrado en diversos ensayos clínicos su eficacia en personas que sufren un dolor crónico que no se alivia fácilmente con medicamentos o cirugía, y que suele reaparecer. Por tanto, la autohipnosis puede resultar eficaz en caso de artritis.

¿Tiene posibilidades?

La mayoría de los expertos definen el estado hipnótico como un nivel distinto de conciencia, entre la vigilia y el sueño profundo, en que el sujeto sufre un estado alterado de la realidad. Durante la hipnosis, la mente consciente se sumerge bajo el umbral del dolor y el sujeto es capaz de alcanzar la paz interior.

La autohipnosis no es tan difícil o rara como pueda parecer, y mucha gente descubre que puede llevarla a cabo. Para saber si podría beneficiarse de esta técnica, responda a estas preguntas:

- ¿Suele llorar al ver películas tristes?
- ¿Alguna vez se ha pasado de la parada del autobús o tren porque estaba completamente enfrascado en la lectura de un libro?
- ¿Se duerme rápidamente y con facilidad?
- ¿Se imagina a sí mismo enamorado?
- ¿Sueña despierto con facilidad?

Si ha respondido "sí" a estas preguntas, es un sujeto potencialmente bueno para la autohipnosis.

Un ejercicio sencillo

Para practicar la autohipnosis con el fin de controlar el dolor, pruebe con este sencillo ejercicio de relajación. Primero, elija una hora y un lugar donde no será molestado. Desconecte el teléfono o active el contestador.

Cierre los ojos y relaje la respiración. Mientras se relaja, respire cada vez más profundamente.

Relaje todos los músculos, salvo los utilizados en la respiración. Imagine que siente cada molécula de aire que entra y sale de su cuerpo. Respire cada vez más profundamente. Procure que cada respiración tenga la misma duración para aumentar la relajación con cada espiración. Imagine una oleada de relajación profunda que fluye por todo el cuerpo.

Cuando esté completamente relajado, intente identificar el punto de dolor y su desencadenante. Después, pronuncie alguna afirmación para controlar el dolor. Puede utilizar su propia afirmación o seguir alguna sugerencia como: "Los músculos de mi cuello son bañados y aliviados por el calor perfecto", o "Mis piernas están calientes y relajadas cada vez que paseo". Una afirmación del estilo, "Mis articulaciones son cada vez más flexibles y menos rígidas" puede servir.

Una variante de este ejercicio consiste en seguir los mismos pasos hasta el estado de relajación y después colocar una mano sobre la zona dolorida. Imagine que la mano está relajada, pesada y entumecida. A continuación, visualice cómo esas sensaciones sustituyen a las del dolor.

Monitorice los progresos

Para que la autohipnosis resulte eficaz, hay que hacer el esfuerzo de medir el nivel de dolor. Intente analizar el dolor: ¿es el peor que recuerda?, ¿la mitad de malo?, ¿resulta soportable?, y elabore una clasificación. No espere resultados espectaculares de inmediato. Los hipnoterapeutas profesionales afirman que la hipnosis controla el dolor progresiva y lentamente. Por eso hay que medir el nivel de dolor y monitorizar los progresos, y seguir practicando.

Lo ideal es practicar la autohipnosis a diario, a la misma hora, y calificar el nivel de bienestar tras cada sesión, para determinar el grado de progreso.

Descubrir más de

La meditación 54–55
La relajación 58–59
Controlar el dolor 138–141

CASO CLÍNICO

James fue informado por su médico de que los medicamentos antiinflamatorios para controlar el dolor de su artritis no eran adecuados para él debido a su historial de úlcera de estómago. Pero, dada la intensidad del dolor, tenía que hacer algo para aliviarlo, y James halló la respuesta en la autohipnosis.

—Al principio era escéptico, pero sufría tanto dolor que estaba dispuesto a probar todo lo que pudiera ayudarme. Leí un libro sobre autohipnosis y decidí que no perdía nada por intentarlo. Requirió dedicación y práctica, pero, para mi sorpresa, y tras un mes de práctica diaria, empezó a funcionar. Vi que podía relajarme y controlar el dolor. Llevaba un diario sobre mi nivel de dolor antes y después de cada sesión de 20 minutos, y anotaba los progresos sobre una escala del 1 al 20. Así me motivaba para seguir adelante y ahora puedo eliminar el dolor con este método. La autohipnosis, por supuesto, no es una cura, y el dolor siempre vuelve, pero estoy seguro de que es igual de efectivo o más que los medicamentos, y siento que tengo cierto grado de control sobre el dolor.

Ayuda profesional

Una de las ventajas de acudir a un terapeuta complementario en lugar de confiar en la autoayuda, es que los progresos serán evaluados objetivamente, y la visita semanal, o mensual, proporcionará una estructura y una disciplina al tratamiento.

Existen muchas buenas razones para acudir a un terapeuta complementario, pero quizá la más importante sea la oportunidad de hablar sobre la artritis con alguien amigable y dispuesto a escuchar. Es de especial utilidad, por ejemplo, en caso de dificultades para mantener la constancia en tratamientos de autoayuda, como la meditación o la visualización.

Los terapeutas complementarios proporcionan un apoyo esencial. Muchos estarán encantados de trabajar junto con el médico ortodoxo y proporcionar un respaldo, consuelo y cuidados holísticos adicionales. Uno de los principales beneficios obtenidos es el tiempo que estos terapeutas suelen dedicar a cada paciente y que, por sí mismo, resulta terapéutico, sobre todo en caso de enfermedad crónica.

Al existir una gran variedad de terapeutas, se puede elegir el (o los) que mejor se adapte a nuestra movilidad, nivel de dolor, punto de vista y economía. Hay que tener en cuenta que algunas de estas terapias acaban por resultar caras. Seguramente habrá que acudir a una consulta o clínica aunque, en algunos casos, el terapeuta acude al domicilio del paciente. Las clínicas varían enormemente. El aspecto formal no es necesariamente un reflejo del tratamiento que se puede esperar recibir, y el terapeuta puede estar, o no, colegiado (*véanse* págs. 42-43).

Las terapias administradas por un terapeuta pertenecen a dos categorías: la manipulación directa, y la terapia administrada a través de medicamentos o pociones, o consejos alimentarios y ejercicio. Cada persona es quien decidirá la eficacia del tratamiento. También habrá que decidir recibir un tratamiento personalizado, o acudir a una clase.

La naturopatía

La naturopatía incluye una actitud de sentido común hacia la salud, basada en las capacidades autocurativas del organismo. Los elementos principales de la naturopatía son los recursos naturales, incluyendo aire puro y sol, ejercicio, descanso, buena alimentación, higiene, relajación e hidroterapia.

El aire fresco y puro, el ejercicio y el sol son algunos de los factores que pueden contribuir a un estado generalizado de bienestar y buena salud.

La forma de vida naturópata implica aceptar la responsabilidad de la propia salud, posible gracias a la sencillez de sus principios. Los naturópatas creen que lo que los médicos convencionales ven como un síntoma de la enfermedad, suele ser una señal de los intentos del organismo por rechazar esa enfermedad y eliminar las toxinas acumuladas por culpa de un estilo de vida insano. Además, sostienen que el organismo posee la capacidad para sanarse siempre que se lo trate y conserve adecuadamente.

Los naturópatas pretenden eliminar los obstáculos que impiden el normal funcionamiento del organismo, como el estrés, la mala postura y la dieta inadecuada, y aplicar tratamientos que estimulen el funcionamiento normal. En esencia, pues, la naturopatía, más que tratar una enfermedad, estimula la salud, o la práctica de la medicina preventiva.

Un enfoque amplio

Hoy día, muchos naturópatas, clínicas y centros residenciales usan instrumentos diagnósticos, como los rayos X, pruebas de laboratorio, etc., para ayudarlos en su labor, pero el enfoque básico sigue siendo el mismo desde hace siglos: ayudar al organismo a recuperar el equilibrio aprovechando todas las curas y tratamientos disponibles en la naturaleza.

Los naturópatas deben seguir una larga formación que incluye estudios de anatomía, fisiología, microbiología, ginecología, ortopedia, nutrición clínica, psicología e iridología como instrumentos de diagnóstico. También deben estudiar terapias naturales, como homeopatía, fitoterapia, medicina tradicional china, hidroterapia y técnicas de manipulación, como la osteopatía.

Esta compleja formación implica que los naturópatas puedan ofrecer una gran variedad de tratamientos adaptados a los requerimientos individuales.

La teoría naturópata

La naturopatía está gobernada por tres principios.

1. Los naturópatas se basan en la creencia de que el organismo está en permanente estado de recuperación de la salud y el equilibrio, y que todos los síntomas de dolor y malestar no son más que intentos por lograrlo. Por tanto, un naturópata considera el dolor y la inflamación de la artritis como intentos del organismo por recuperar la salud. El dolor tiene como misión alertar de que algo sucede, y la inflamación se produce cuando las articulaciones intentan protegerse de más daños.

2. Los naturópatas opinan que la causa subyacente a toda enfermedad es la acumulación indeseada de productos de desecho y la incapacidad del organismo para eliminarlos de manera segura y natural. Esta acumulación se debe a los malos hábitos de vida, como una mala alimentación, la comida basura y la falta de ejercicio y de aire fresco.

3. El tercer principio de la naturopatía es que el cuerpo contiene toda la sabiduría y poder necesario para curarse a sí mismo.

La consulta

Al acudir a un naturópata, puede que le prescriba ayunos controlados, masajes, enemas o irrigaciones de colon para desintoxicar el organismo y ayudarlo en el proceso de limpieza. La terapia enzimática, que permite la absorción de los nutrientes de la comida, también puede recomendarse. Muchos artríticos son incapaces de asimilar los nutrientes, por lo que se les prescribirán enzimas de plantas deshidratadas en forma de suplementos. Las más comunes son la bromelina de la piña y la papaína de la papaya. El naturópata puede diagnosticar el estado nutricional mediante un análisis de sangre o de los minerales del cabello.

Muchos artríticos presentan un historial de mala alimentación, y esto debe ser lo primero que debe corregirse. Las vitaminas A y E son potentes antioxidantes y destruyen los dañinos radicales libres que causan daño alrededor de las articulaciones. La vitamina E, en particular, estimula la producción de cartílago y ayuda a reducir la inflamación y la destrucción del tejido articular.

Las terapias dependen del terapeuta, pero pueden incluir luz, agua, ultrasonidos, electricidad, frío y calor. Pueden aplicar técnicas de ejercicios, como el yoga, o técnicas respiratorias, quiropráctica, reflexología o masaje, biofeedback y remedios homeopáticos o herbales.

Pero antes, empezará por elaborar un detallado historial clínico y, en algunos casos, realizarán pruebas de laboratorio o de rayos X. Sin embargo, el aspecto más importante de la consulta naturópata es la dieta. Puede que sufra alguna alergia alimentaria que afecte a los síntomas, y seguramente le aconsejarán reducir el consumo de té, café, cola, alcohol, azúcar refinado y, posiblemente, trigo y productos lácteos.

Tras la primera consulta, el terapeuta le comentará las diversas posibilidades de tratamiento y elaborará el tratamiento personalizado que mejor se adecue a su estado.

Descubrir más de

La hidroterapia	66
La dieta	142–147
El ejercicio	148–151

Algunos naturópatas usan una técnica llamada análisis mineral del cabello. Se procesa una muestra de cabello para determinar cualquier desequilibrio que pueda corregirse con una dieta adecuada.

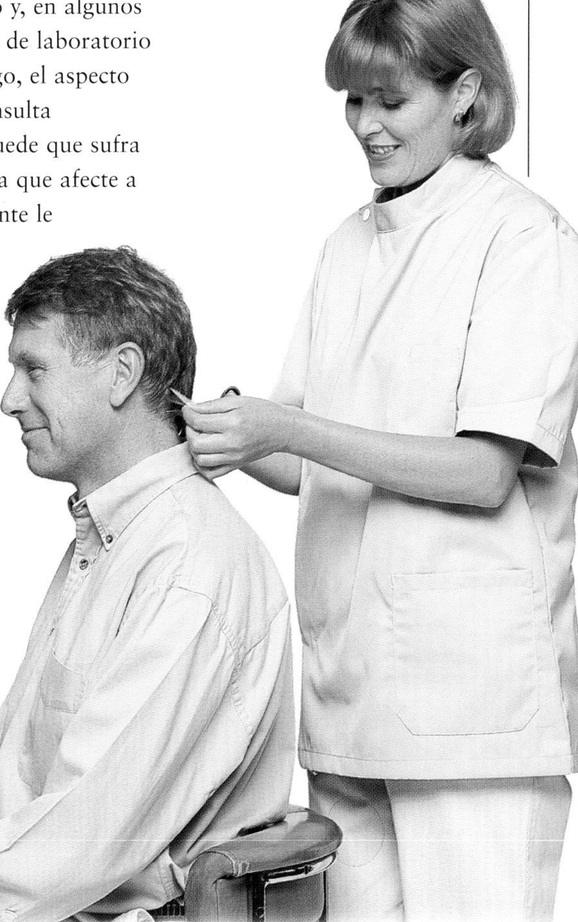

La hidroterapia

Cuando el cuerpo se sumerge en agua, las articulaciones que soportan peso sufren menos tensión, lo que nos proporciona una sensación de confort, relajación y ligereza. Funciona tanto en agua fría como caliente. La hidroterapia profesional para la artritis, sin embargo, suele realizarse en agua caliente.

La hidroterapia implicaba originalmente el uso de aguas de manantial, muchas de las cuales son ricas en minerales, y podía ser fría o caliente. Actualmente, se suele utilizar agua corriente, aunque en algunos balnearios les añaden minerales.

Desde la época de los romanos se sabe que la hidroterapia produce beneficios y alivio en caso de artritis. La hidroterapia se desarrolló a principios del siglo XIX por Vincent Preissnitz en su "universidad del agua" en la Silesia austriaca (actual República Checa). A finales de ese siglo, un sacerdote bávaro, Sebastian Kneipp, clasificó los usos terapéuticos del agua y, actualmente, algunos centros todavía ofrecen la "Kneipptherapie", disponible en muchas clínicas y hospitales.

Cómo funciona

La hidroterapia, un tratamiento cada vez más popular en caso de artritis, funciona de dos formas distintas, pero conexas. En primer lugar, proporciona un alivio instantáneo del dolor y una mayor sensación de bienestar. En segundo lugar, la inmersión en agua facilita una mayor movilidad de las articulaciones. Por ese motivo, la hidroterapia casi siempre se combina con ejercicios suaves, aprovechando esa mayor movilidad. Después de una sesión de ejercicios, la hidroterapia favorece la relajación de las articulaciones y los músculos.

Relajarse con un baño caliente es, en sí mismo, una forma de hidroterapia, pero existen piscinas de hidroterapia especiales para quienes sufren artritis. El agua está más caliente que en una piscina normal y cuentan con fisioterapeutas o algún otro profesional de la salud, experto en este tipo de enfermedades.

Cuidados especializados

La hidroterapia y las sesiones de ejercicios deben realizarse bajo la supervisión de un profesional de la salud. De lo contrario, existe el riesgo de que las articulaciones se fuercen más de lo normal y se provoque aún más daño.

Para que el tratamiento resulte eficaz, el agua deberá estar a una temperatura correcta. Demasiado caliente, o fría, no resultará beneficiosa e incluso reducirá la movilidad. Esto es muy importante en caso de una articulación con inflamación aguda. Además, la piel puede resultar dañada si el agua está demasiado caliente. Es necesario reservar una sesión, o curso, en alguna piscina de hidroterapia.

CENTRARSE EN EL ALIVIO

Aunque muchos artríticos se benefician de la inmersión de cuerpo entero, los terapeutas suelen trabajar sólo las zonas afectadas, como las articulaciones de los dedos de la mano.

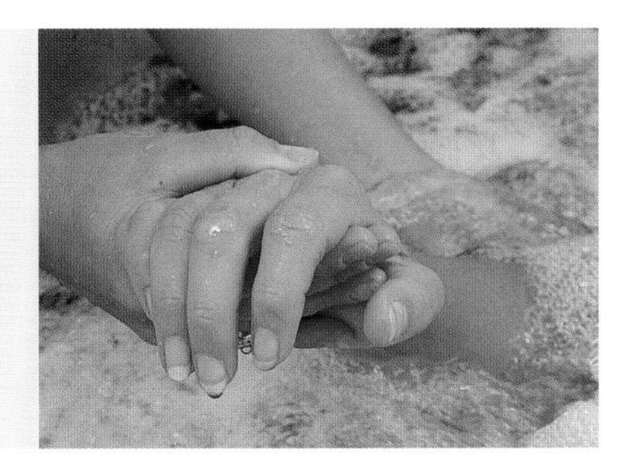

Descubrir más de

Terapias físicas 116–121
Controlar el dolor 138–141

La visita al balneario

Algunos balnearios cuentan con piscinas adaptadas para artríticos. El tratamiento en una piscina, o baño, adaptada puede combinarse con un envoltorio de algas o barro caliente que contribuye aún más a reducir la inflamación. Se puede elegir algún balneario que haya demostrado su eficacia en el alivio de la artritis. Uno de los más conocidos se encuentra en el Mar Muerto, en Israel y Jordania, donde las clínicas especializadas, en las que trabajan médicos cualificados, tratan la artritis de diversas formas.

Las sales minerales y el calor del Mar Muerto se aúnan para ejercer un poderoso efecto calmante sobre las articulaciones inflamadas. El Mar Muerto es el punto de menor altitud de la tierra, y el único en el que se puede tomar el sol todo el día sin riesgo de quemarse. Esto es debido a que los rayos solares son filtrados a través de los vapores de sal en la superficie del agua.

Muchas clínicas se sitúan junto a fuentes naturales de agua caliente, o de azufre, y cada vez hay más personas que han comprobado que el efecto de este remedio natural dura mucho más que el proporcionado por los medicamentos.

En algunos balnearios de la República Checa, donde los científicos investigan la artritis, se ha comprobado que el tratamiento de hidroterapia en una piscina natural de agua caliente puede aliviar el dolor por completo durante un año.

Para experimentar alivio en caso de artritis severa, seguramente hará falta alojarse en un balneario durante unas tres semanas. Aunque se obtenga un cierto alivio instantáneo, los efectos no durarán demasiado tiempo con una sola sesión.

Al parecer, el efecto de la hidroterapia diaria es acumulativo. Muchos balnearios, aunque no todos, combinan las sesiones de hidroterapia con una dieta sana, y puede que con suplementos nutricionales, además de ofrecer la oportunidad de relajarse en un lugar hermoso y tranquilo.

La autoayuda

Los tratamientos pueden seguirse en casa. Las sales del Mar Muerto, y las de otros balnearios, se fabrican para uso doméstico. Por ley, no pueden anunciarse como un tratamiento contra la artritis, pero alivian el dolor a muchos pacientes.

Caminar junto al mar y nadar en sus aguas es sabido que beneficia a la salud y los artríticos se benefician, además, de esta forma de hidroterapia. Nadar contribuye a conservar la movilidad al mantener la fuerza muscular y el espectro de movimientos en torno a una articulación.

El masaje

Menos popular en Occidente que el masaje sueco, el masaje tailandés se basa en distintas técnicas de manipulación. Una de ellas, la sacudida, implica tirar de una extremidad mientras se mueve de arriba abajo.

Los masajes terapéuticos atraen a las personas que disfrutan de un contacto sensual con propósitos terapéuticos. El masajista suele utilizar aceite y el paciente se tumba sobre una camilla, sin ropa y cubierto sólo por una toalla suave y caliente, de modo que la única parte del cuerpo expuesta es la que recibe el masaje.

El masaje es, esencialmente, un arte de curación sensual que debe ser disfrutado para conseguir una sensación de bienestar. El masaje nos obliga a tomarnos un tiempo para relajarnos. También mejora la circulación y disminuye la frecuencia cardiaca, además de producir beneficios físicos para las articulaciones, y relajar y estirar los músculos.

Toda técnica de masaje implica amasar y frotar, pero existen muchos tipos diferentes de masaje, desde la fricción, ligera y suave, hasta el golpeteo que puede acercarse al umbral del dolor.

Escuelas de masaje

Las escuelas de masaje se desarrollaron en muchas partes del mundo antiguo, pero, en Occidente, algunas son más populares que otras.

- El masaje sueco combina una serie de fricciones firmes con amasados y golpeteos por todo el cuerpo.
- El drenaje linfático es más moderno que el sueco, y muy especializado. Se centra en la estimulación de los órganos internos activando diversos puntos linfáticos del cuerpo. Se trata de facilitar la eliminación, a través del hígado, los riñones y el colon, de las toxinas retenidas.
- El masaje médico, desarrollado originalmente durante la Segunda Guerra Mundial para los amputados y quienes sufrían heridas graves, se centra en aliviar el dolor agudo.

La historia del masaje

El masaje fue utilizado por los primeros cristianos como elemento curativo en la imposición de manos, pero al final fue condenado por la Iglesia por pecaminoso, al implicar tocamientos de una persona por parte de otra. Además, como instrumento curativo decayó bastante, sobre todo en Occidente, con la llegada de la medicina moderna o científica.

El arte fue recuperado a comienzos del siglo XIX en Suecia, cuando un estudiante de la Universidad de Estocolmo, Henri Peter Ling, recreó técnicas gimnásticas sobre la camilla de masaje, y así desarrollo la primera forma de ejercicio pasivo.

Ling desarrolló 47 posturas y 800 movimientos para que las personas no dotadas atléticamente pudieran obtener beneficios físicos. Al principio, el colegio médico y el gobierno sueco rechazaron su método, pero en 1814 logró al fin la licencia para practicar el masaje terapéutico.

La práctica se hizo cada vez más popular en balnearios y clínicas de salud. Hasta las décadas de 1960 y 1970, el masaje terapéutico estaba restringido a atletas, gimnastas y bailarines, y las personas adineradas que podían permitírselo. Aparte de eso, los masajes sólo se ofrecían en los "palacios del masaje" y contribuyeron a su mala fama.

Una terapia moderna

El interés por los masajes creció a finales de los años 60, cuando los terapeutas de California empezaron a utilizar distintas formas de masaje. Al principio, la idea era ayudar a los pacientes a deshacerse de represiones e inhibiciones para liberar su verdadera personalidad. Pero, poco a poco, se observó que el masaje tenía muchos usos terapéuticos, y así se reincorporó a la medicina. Hoy día, casi todas las clínicas del dolor ofrecen masajes.

Uno de los pioneros del masaje médico en Occidente fue la terapeuta británica Clare Maxwell-Hudson, que, en los años 60, proclamó los beneficios del masaje. Tras formarse como terapeuta de belleza, empezó a practicar como masajista cuando aún era una técnica de dudosa reputación. Para investigar las técnicas de masaje, viajó sobre todo por Oriente, y comprobó con qué naturalidad las personas se daban masajes unas a otras, y lo integrado que estaba el masaje con la curación tradicional. Empezó a ofrecer masajes relajantes a domicilio. A medida que su trabajo fue más conocido, Maxwell-Hudson fundó su propia escuela de masaje y empezó a aplicar masajes a personas gravemente enfermas. Con ello se establecieron las bases del papel de los masajes en las clínicas del dolor.

Descubrir más de

El masaje	*70–73*
La reflexología	*96–98*

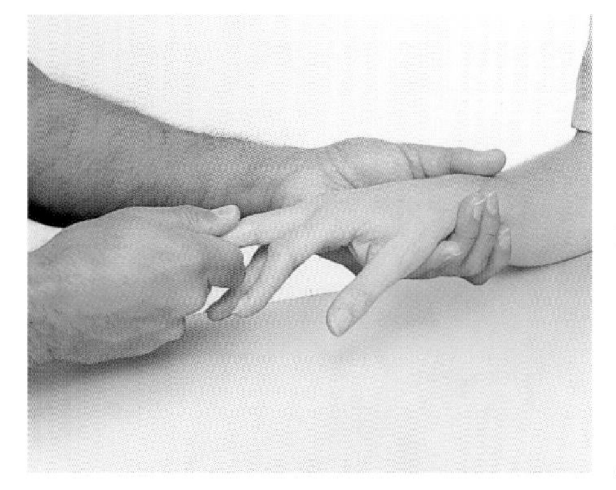

Masaje de mano y dedos
Los dedos se masajean uno a uno, comprimiéndolos entre el dedo índice y el pulgar, friccionando cada dedo.

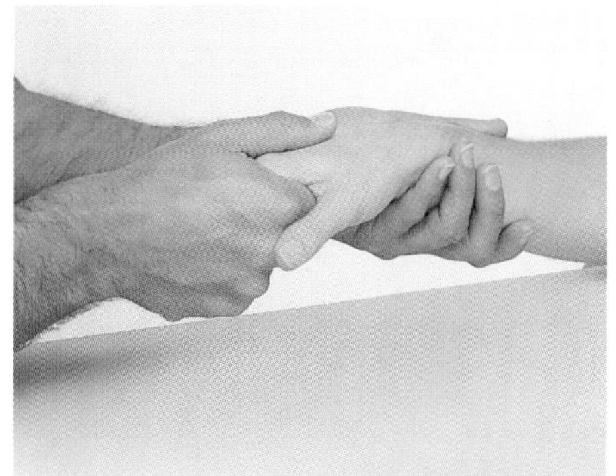

La palma se masajea con movimientos lentos y circulares con el pulgar. En esta zona hay muchos músculos fuertes, por lo que habrá que aplicar una presión firme.

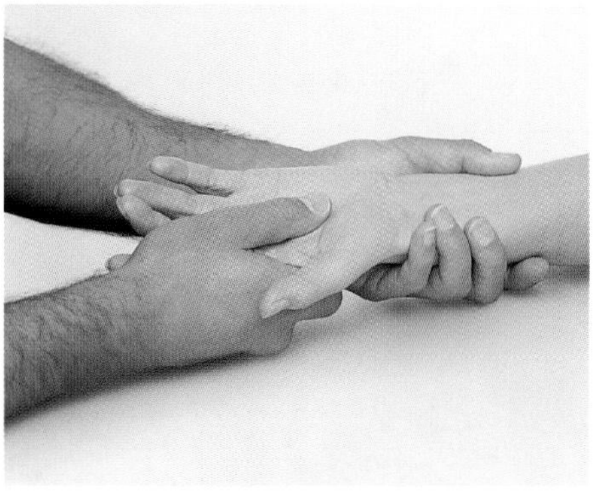

El dorso de la mano se masajea con movimientos pequeños y circulares. Hay que repetir varias veces sobre una misma zona antes de pasar a la siguiente. La firmeza de la presión debe ajustarse a la persona que recibe el masaje.

El masaje

El masaje terapéutico

Clare Maxwell-Hudson fue pionera del masaje terapéutico para enfermos del corazón en el hospital Charing Cross de Londres, en una época en que esta técnica era considerada extraña. Sin embargo, hoy en día, el masaje forma parte del tratamiento convencional en pacientes que lo soliciten en residencias, hospitales oncológicos y clínicas de SIDA.

"A veces, los pacientes están tan enfermos que sólo se puede masajear sus manos —dice Maxwell-Hudson—. Pero incluso ese masaje les hace sentir mejor".

El masaje está tan integrado en la medicina moderna que forma parte del programa lectivo de postgrado de las enfermeras británicas. En los Estados Unidos, el masaje terapéutico se enseña en muchas escuelas de medicina, convirtiéndose en una rama de la medicina por derecho propio.

El masaje puede beneficiar a los artríticos de diversas maneras. Como mínimo, la fricción suave con aceites aromáticos por todo el cuerpo hace que uno se sienta mejor, con la sensación de que alguien se preocupa de uno. A un nivel más sutil, el masaje también implica que alguien acepta nuestro cuerpo y le dedica su atención. Las discapacidades, deformidades y articulaciones agarrotadas están ahí para ser aliviadas por el masajista. El masaje puede aliviar el dolor físico y de la artritis. Asimismo puede penetrar en las articulaciones y músculos agarrotados, relajándolos mientras contribuye a eliminar las toxinas.

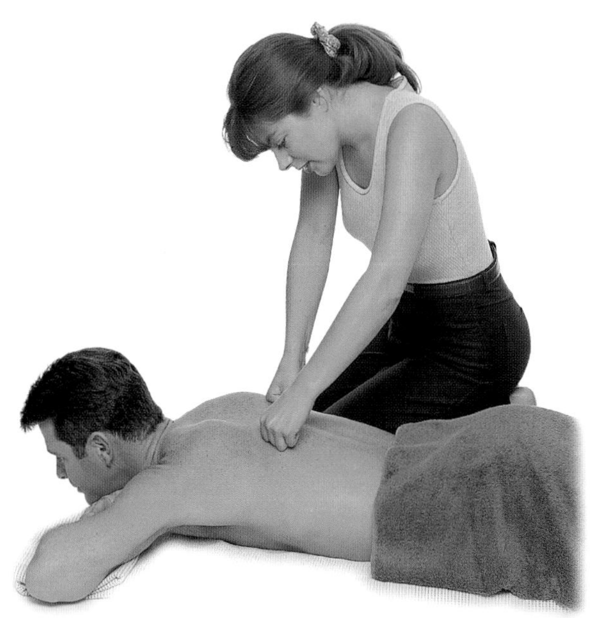

Amasar con estrujamiento (Petrissage)

En esta técnica, las manos, dedos o pulgares agarran y sueltan alternativamente determinadas partes del cuerpo para trabajar distintos grupos de músculos. Favorece la circulación y alivia la tensión muscular.

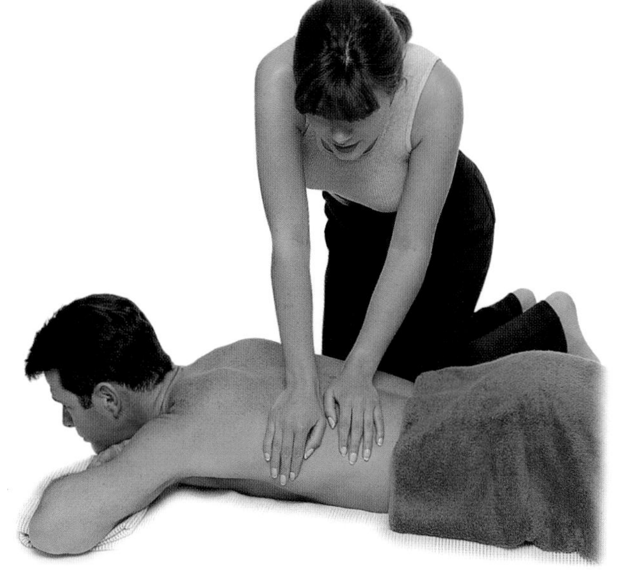

Friccionar (Effleurage)

Se trata de un movimiento, lento y rítmico, de fricción aplicado con las palmas y los dedos de las manos. La técnica calienta y relaja profundamente y puede emplearse durante todo el masaje.

El masajista terapéutico, sobre todo cuando trabaja con artritis o algún otro proceso inflamatorio, debe conocer bien la naturaleza de la afección para no empeorar la inflamación y el desgaste. El masajista profesional se somete a una rigurosa formación que incluye un conocimiento profundo de anatomía y fisiología, algo de psicología, y de cómo tratar al paciente.

La consejera y terapeuta británica Pat Williams, que enseña técnicas de escucha en la escuela Clare Maxwell-Hudson, afirma: "Para ser eficaz como masajista, no sólo te tienen que gustar los cuerpos, sea cual sea su tamaño, forma y estado, sino que tienes que tener la capacidad de escuchar atentamente a los pacientes y clientes, y averiguar sus necesidades".

Los diferentes movimientos

Las cuatro técnicas básicas, petrissage, effleurage, amasar y golpetear, se describen e ilustran más abajo. Otras técnicas son las siguientes:

- Tocar, es decir, colocar las manos sobre una parte del cuerpo. Esta técnica se emplea en caso de enfermedad muy grave.
- La vibración comprende presiones y sacudidas rápidas, y a menudo se realiza con una máquina.
- Rozar consiste en ligeros movimientos con la punta de los dedos. Puede provocar cosquilleo y se utiliza, bien al final del masaje, o en caso de personas cuyo estado desaconseja la aplicación de presión.
- La compresión de los nervios consiste en una presión firme aplicada para aliviar tensión o dolor en los puntos nerviosos.

Descubrir más de

Elegir un especialista 106–107
El masaje 72–73
La reflexología 96–98

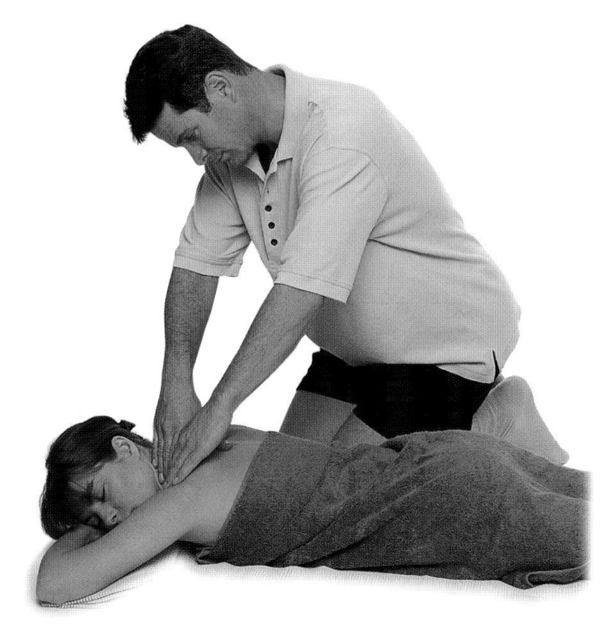

Amasar

En esta técnica, las manos agarran y sueltan grandes zonas de musculatura, lo que produce un efecto estimulante y vigorizante. El amasamiento facilita la descomposición del tejido graso y la eliminación de toxinas del cuerpo.

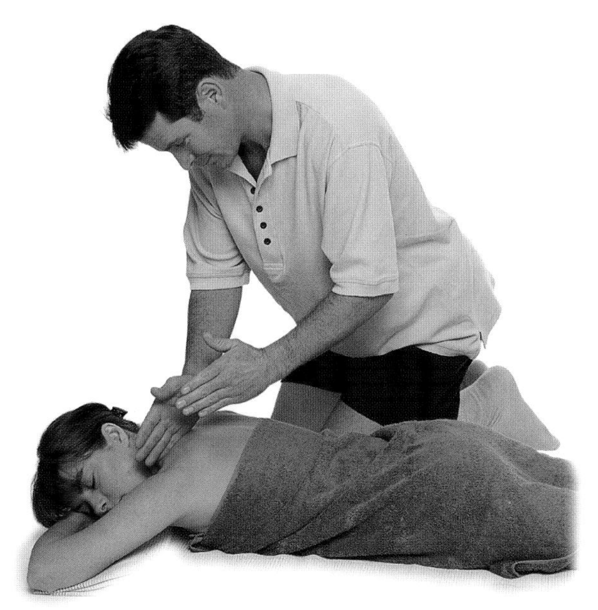

Golpetear

También se denomina percusión o tapotement. Consiste en golpear vigorosamente grandes zonas de músculo con los cantos de las manos, o los puños flojos. Ayuda a mejorar la circulación y es muy energizante.

El masaje

El masaje es reconocido cada vez más como una terapia que beneficia al cuerpo y la mente por igual. Existen numerosos productos para masaje en el mercado, desde aceites de aromaterapia hasta herramientas para automasajes, que la convierten en una terapia eficaz y accesible.

La visita al masajista

Durante la primera sesión, el terapeuta elaborará un completo historial clínico y le hará preguntas sobre su salud, estilo de vida, dieta y ejercicio.

Después le pedirá que se desvista y se tumbe sobre la camilla. La cabina de masaje debería tener una temperatura cálida, sin ser demasiado caliente, y la mayor parte del cuerpo deberá estar cubierta por una toalla caliente y seca. Únicamente la parte del cuerpo que esté recibiendo el masaje en cada momento estará expuesta.

La sesión durará más o menos una hora y, para entonces, ya debería sentirse completamente relajado. Antes de marcharse, deberá quedarse tumbado sobre la camilla unos minutos. Lo mejor es programar el masaje para una hora que no le obligue a salir corriendo inmediatamente después.

La sesión de masaje puede ser relajante o estimulante, según los movimientos empleados. Aunque se suele considerar como una terapia suave, el masaje puede ser a veces bastante agresivo. Los masajistas que tratan a atletas y deportistas emplean una gran cantidad de energía para golpear y colocar los músculos en su sitio.

El masajista debe saber de inmediato si siente algún dolor, ya que es una señal de aviso. Los movimientos empleados con un artrítico suelen ser mucho más suaves y ligeros que los utilizados con un cuerpo atlético y en forma.

La mayoría de los masajistas actuales emplean aceites de aromaterapia, aunque algunos prefieren aceite para bebés, o incluso polvos de talco. Los masajistas suelen aplicar más presión que las masajistas, y hay quienes prefieren el masaje de las manos grandes de un hombre. Algunas clínicas ofrecen masajes sincronizados en que dos personas dan a la vez un masaje a un mismo paciente para aumentar el efecto.

Para lograr el mayor efecto terapéutico, se recomienda un masaje semanal.

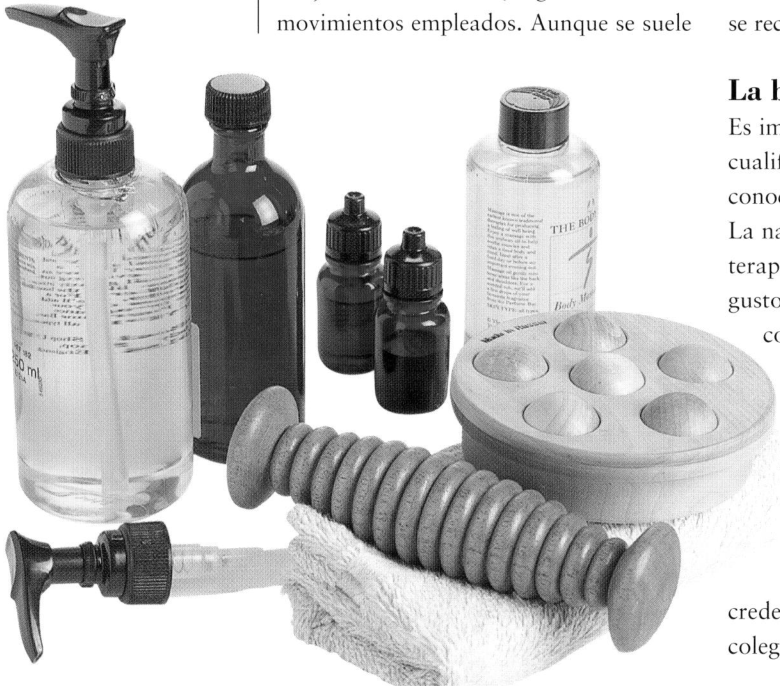

La búsqueda del masajista

Es importante encontrar un masajista cualificado, con experiencia y conocimientos sobre la patología a tratar. La naturaleza íntima del masaje como terapia implica que deberá sentirse a gusto con el masajista y sentir plena confianza en él. Se puede pedir una lista de especialistas en el hospital local, o seguir las recomendaciones de algún amigo. Puede que el médico de familia conozca a algún masajista de confianza. Es imprescindible tomar precauciones y comprobar las credenciales del masajista elegido en el colegio profesional.

Una última advertencia

El masaje es, por razones obvias, un tratamiento muy íntimo, y suele llevarse a cabo en una sala donde el paciente está a solas con el masajista. Además, es probable que el paciente esté desnudo, aunque cubierto por toallas. Eso puede hacerle sentir muy vulnerable, sobre todo la primera vez, y es labor del masajista el hacer que se sienta a gusto y le permita disfrutar del tratamiento.

Si está interesado en el masaje terapéutico, debería explicarle al masajista exactamente cuál es su problema y dónde sufre los mayores dolores. Para mayor seguridad, también debería informar al médico de que está recibiendo masajes. Antes de la primera sesión, debería consultar con su médico para saber si hay alguna técnica que debería evitar.

Si sufre alguna de las patologías que se enumeran a continuación, no debería recibir masaje a no ser que el médico dé su aprobación:

- cáncer, epilepsia, VIH o SIDA
- infección en la piel, inflamaciones, heridas o cicatrices recientes
- venas varicosas, flebitis o trombosis
- quistes o bultos sin diagnosticar.

Descubrir más de

Terapias físicas 116–121
Controlar el dolor 138–141
Recursos útiles 155

CASO CLÍNICO

Jill, la pareja de John, ganó un concurso premiado con una semana en un balneario y ella sugirió que él la acompañase también. Dado que John padecía artritis, se sentía algo preocupado.

—Me imaginaba un lugar lleno de cuerpos perfectos y bronceados —dijo—, pero no fue así en absoluto. De hecho, algunas personas estaban peor que yo.

Todos los tratamientos eran opcionales, pero una de las sugerencias era el masaje. Yo jamás había recibido uno y no me gustaba mucho la idea de desnudarme ante un extraño, pero el masajista salió de la cabina mientras me desvestía y cubría con las toallas. Le informé de mi artritis y me dijo que podía tratarme. Me preguntó dónde sufría la mayor inflamación, y se puso a trabajar. Tras habituarme a sus manos sobre mi cuerpo, empecé a sentirme estupendamente, y sentía relajarse mis articulaciones y disminuir el dolor.

Ahora recibo un masaje terapéutico siempre que me lo puedo permitir. Mi médico está de acuerdo, y Jill también, ya que afirma que mejora mi humor. Pienso que, como muchos hombres, nunca había experimentado la sensación de ser mimado, y seguramente jamás se me habría ocurrido darme un masaje de no haber acudido al balneario. El masaje me ha proporcionado una nueva vida.

Aparte de aliviar el dolor y la inflamación, el masaje me ayuda a relajarme. Tumbado sobre la camilla, no hay otra opción salvo la de relajarse. Uno no puede levantarse de un salto para hacer una llamada, por ejemplo, y creo que ese "tiempo muerto" me está beneficiando más que los medicamentos que tomo.

La técnica Alexander

La técnica Alexander se basa en la teoría de que el funcionamiento de nuestro cuerpo depende del buen uso que hagamos de él. Al mejorar la postura, la técnica alivia el dolor articular y muscular causado por la artritis.

F. Matthias Alexander, el hombre que desarrolló la técnica postural que lleva su nombre, era un actor australiano que, a finales del siglo XIX se ganaba la vida recitando discursos y soliloquios de los clásicos.

Cuando, de repente, perdió la voz, parecía haber llegado el fin de una brillante y lucrativa carrera de un hombre que a los dieciséis años era tan pobre que había tenido que trabajar en una mina de estaño. Con poco más de veinte años, Alexander consultó a un médico tras otro, y ninguno de ellos fue capaz de ayudarlo, ni descubrir el motivo de su incapacidad.

Alexander tomó la decisión de ayudarse a sí mismo. Mediante la colocación estratégica de una serie de espejos, Alexander se observó mientras ensayaba sus discursos y llegó a la conclusión de que la pérdida de voz podría tener algo que ver con la postura de su cabeza.

Alexander observó que, cuando empezaba a recitar, tenía tendencia a echar la cabeza hacia atrás y hacia abajo, y dedujo que ése era el motivo de la pérdida de voz.

La dificultad estaba en evitar ese comportamiento, ya que él no era consciente de sus movimientos durante los recitales. Al final, Alexander llegó a la conclusión de que las sacudidas antinaturales de su cabeza se debían a un hábito arraigado o, como él lo denominó, al "uso".

LA TÉCNICA ALEXANDER Y EL CUELLO

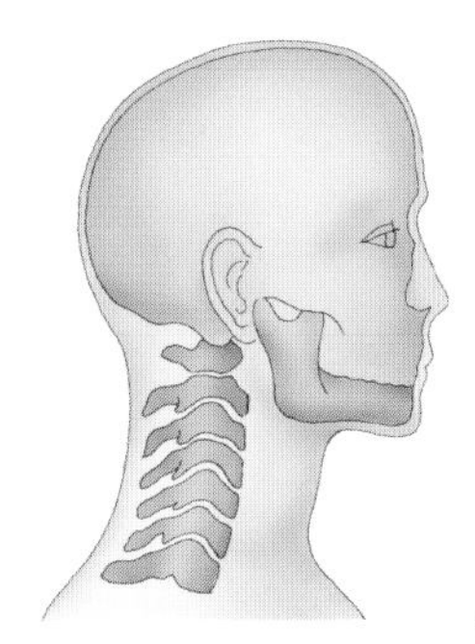

El cuello conecta la cabeza con el cuerpo. Si sus huesos están alineados, el habla y la deglución funcionarán bien.

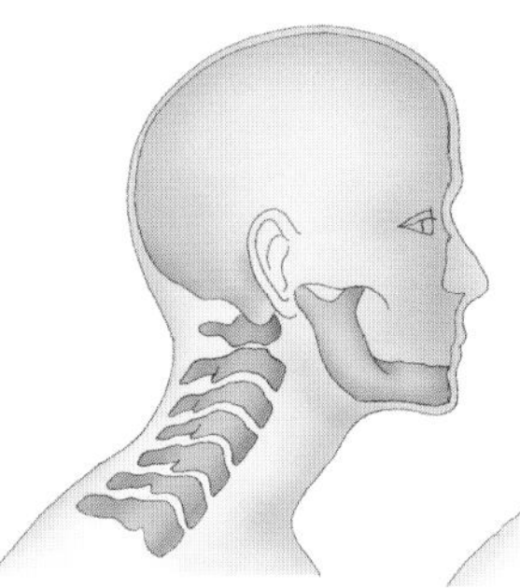

Uno de los fallos más habituales es el de adelantar la cabeza, con lo que el cuello se inclina siempre hacia delante.

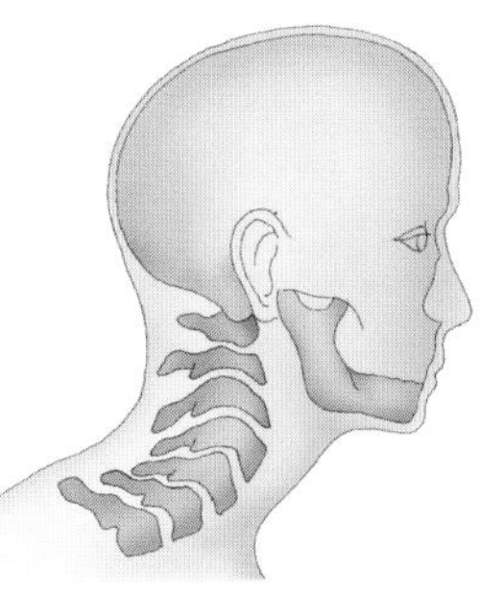

Para corregir esta inclinación, muchas personas echan el cuello hacia atrás, alineando sólo los huesos superiores.

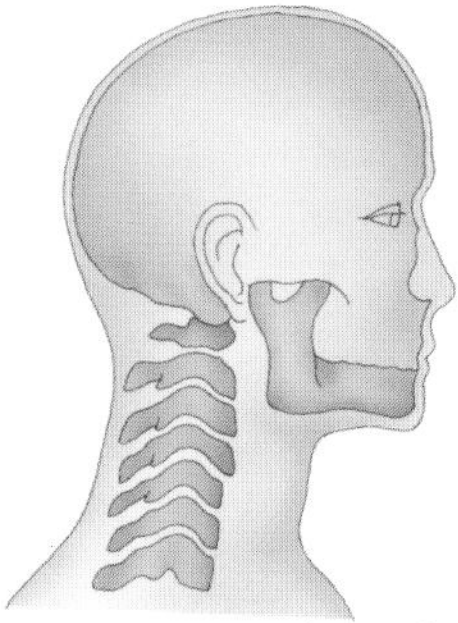

La técnica Alexander reeduca el cuerpo para que las vértebras del cuello se alineen bien, eliminando el problema.

Los hallazgos de Alexander

A través de una estrecha observación, Alexander concluyó que no se podían separar la mente, el cuerpo y las emociones, ya que funcionan en conjunto. Este concepto se convirtió en el principal dogma de la filosofía Alexander.

Alexander también se dio cuenta de que lo que el individuo haga con una parte de su cuerpo, repercutirá invariablemente en otras partes, no existiendo la acción corporal aislada. A través de constantes repeticiones, ciertas acciones terminarán por arraigarse y volverse inconscientes.

Si esas acciones fueran sanas, no causarían ningún problema. La dificultad surge cuando muchos aspectos de la vida moderna, observados por Alexander en los años 1920 y 1930, nos predisponen a utilizar mal nuestro cuerpo. Nos dejamos caer en las sillas, invertimos demasiada energía en tareas mundanas, como el aseo, y caminamos con los hombros caídos. Con el tiempo, estos hábitos están tan enraizados que hace falta un enorme esfuerzo consciente para cambiarlos. Según Alexander, muchas malas posturas físicas se deben a problemas mentales o emocionales de estrés, tensión y temor.

Cómo cogemos malos hábitos

Los niños pequeños caminan erguidos por naturaleza, pero al ir a la escuela, según Alexander, la mezcla de aburrimiento y miedo (hoy día no) que experimentan a menudo hace que mantengan su cuerpo en tensión. Los niños, además, copian la conducta de los adultos y, como la mayoría de éstos desarrollan malos hábitos posturales, los niños pronto los desarrollarán también, y pueden conservarlos toda la vida.

Alexander afirmaba que muchas enfermedades físicas, incluyendo la artritis, son el resultado de largos años de malas posturas. La artritis es un buen ejemplo de años de mal uso que al final conducen al dolor, la incapacidad y, a veces, alguna deformidad. Al alcanzar ese estado, la única solución consiste en desaprender los malos hábitos, devolverlos a un estado de consciencia y enseñarle al cuerpo nuevos y buenos hábitos.

Para conservar la buena salud, según Alexander, debemos concentrarnos en el uso del "yo", y ser siempre conscientes del modo en que nos sentamos, estamos de pie, movemos y, en general, nos comportamos físicamente. La mayoría de las personas desarrollan acciones cotidianas inconscientes, sin saber que pueden estar dañando su cuerpo.

El papel de la columna

Alexander afirmaba que la parte más importante del cuerpo es la columna, ya que allí reside el control primario. Lo que suceda allí afectará al resto del cuerpo: huesos, articulaciones, órganos internos, digestión y evacuación, ya que todas las partes del cuerpo están conectadas, directa o indirectamente, con la columna. Para trabajar adecuadamente, la columna debe permanecer en su estado "alongado". Cuando sufre constantes acortamientos, por ejemplo, al tirarnos en el sofá, todos los órganos y extremidades se ven sometidos a un gran esfuerzo.

Descubrir más de

Causas de la artritis 30–37
La técnica Alexander 76–77
Terapias físicas 116–121

Los niños no nacen con malas posturas, pero tras años de sentarse mal los huesos de sus hombros, cuello y columna pueden perder la alineación. Los padres son quienes deben ayudar a los niños a "desaprender" las malas posturas antes de que se conviertan en un hábito.

La técnica Alexander

La manera de mantenerse en pie afecta enormemente al desgaste de la columna, articulaciones y huesos. El maestro le enseñará a "sentir" la correcta alineación de la columna.

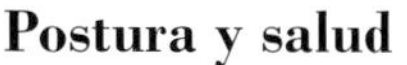

Postura y salud

Según Alexander, las enfermedades son manifestaciones de la falta de armonía en el organismo humano, y muchos problemas médicos tienen su origen en el estrés emocional o mental. El estrés puede acumularse en el organismo durante años, incluso toda una vida, y al final aflorará en forma de síntomas físicos, que pueden ser serios o incluso mortales.

Alexander observó que si se trabaja sólo la mente, sin atender al cuerpo, existe el peligro de que el problema no sea curado sino enmascarado. El desasosiego tiende a acumularse en el organismo, por lo que hay que prestar especial atención a lo sucedido en el cuerpo para decidir qué lesión deber corregirse.

La osteoartritis es considerada por la medicina ortodoxa como el resultado de años de desgaste en las articulaciones y, por lo tanto, más o menos inevitable. Sin embargo, Alexander pensaba que si se utilizan las extremidades adecuadamente, no se desarrollará nunca artritis, independientemente de la edad. No deja de ser cierto que numerosos maestros de la técnica de Alexander, algunos de los cuales rondan los ochenta y los noventa años, no sufren osteoartritis ni están encorvados, sino erguidos y rectos como cuando eran jóvenes.

Aunque la técnica produce beneficios sobre la mente y sus perspectivas al sentar las bases para un enfoque más positivo en la vida, los maestros de Alexander trabajan sobre todo el cuerpo, y se concentran en mejorar la postura. Una vez corregida, se supone que la salud y la actitud positiva serán restablecidas.

Alexander bautizó a las personas que se centran en el fin y no en los medios como "ganadoras de fines", y opinaba que estaban más predispuestas a sufrir enfermedades y problemas degenerativos. Por ejemplo, al cargar con peso, hay que concentrarse más en cómo levantarlo y transportarlo que en el lugar al que se vaya a trasladar.

La sesión Alexander

La técnica Alexander es adecuada para quienes gustan de la terapia física, pero no están dispuestos a desvestirse por completo. Las sesiones suelen ser individuales, aunque también existen clases en grupo.

La ropa debe ser suelta y cómoda. El maestro le pedirá que se siente, se ponga en pie y se tumbe y, mientras lo hace, le observará con detenimiento en busca de cualquier tensión, tirantez o asimetría. Durante la primera sesión, le explicará brevemente la técnica y le hará un historial médico detallado, así como un cuestionario sobre su estado de salud.

Tras unos 15 minutos de preguntas, le pedirá que se tumbe sobre una camilla, con las rodillas dobladas y la cabeza apoyada. Eso permitirá que la columna descanse completamente plana sobre la camilla.

El maestro comprobará sus músculos y articulaciones y le pedirá que se siente y ponga en pie en determinadas posturas. Después le enseñará la manera correcta, Alexander, de sentarse y ponerse en pie. Seguramente le enseñará algunas posturas para que practique en casa hasta la siguiente sesión. Con el tiempo, empezará a darse cuenta de cuándo el cuerpo pierde la alineación, y podrá corregir la postura.

Descubrir más de

Túmbese sobre una superficie plana, con los pies y la columna contra el suelo.

Aprender a desaprender

Muchas personas disfrutan con las lecciones de Alexander y empiezan a sentirse mejor tras la primera sesión.

Las lecciones que se aprenden en una sesión de Alexander no se aplican con facilidad desde el principio a la vida diaria. Años o décadas de un mal uso del cuerpo requieren tiempo, esfuerzo y dedicación para corregirse. Las lecciones de Alexander hacen hincapié en "desaprender", más que en aprender. Hay que aprender a "des-sentarse" y a "des-estar de pie", y tomarse tiempo para practicar esos movimientos con plena consciencia. Los maestros le enseñarán a realizar una acción por la acción misma y no por su finalidad.

El maestro de Alexander le ayudará a sentarse y a ponerse en pie. Tendemos a arquear la espalda y el cuello, adelantando la cabeza. El maestro corregirá esta tendencia, quizá, sujetándonos el cuello y la columna.

La acupuntura y la acupresión

Los artríticos y personas con dolencias de espalda constituyen la mayoría de los pacientes de un acupuntor. La osteoartritis y la artritis reumatoide responden bien, tanto a la forma tradicional china de esta terapia, como a su forma occidental.

El tratamiento de acupuntura suele ser más eficaz en pacientes con formas leves de artritis, antes de que el estado se vuelva crónico y se hayan desencadenado los cambios degenerativos que provocan el movimiento restringido, así como el dolor agudo.

La acupuntura no cura la artritis, pero puede aliviar el dolor asociado a ella durante períodos de tiempo cada vez más largos. Incluso un alivio temporal del dolor, sin medicamentos, es todo un logro para los artríticos.

El término "acupuntura" deriva del latín, *acus*, que significa aguja, y *punctus*, que significa pinchar. El tratamiento consiste en insertar unas finísimas agujas en determinados puntos de la piel. Los puntos de acupuntura se reparten a lo largo de los meridianos, o canales de energía invisibles. Existen 14 meridianos mayores, 12 de los cuales están conectados con órganos internos, de los que reciben su nombre.

LAS AGUJAS DE ACUPUNTURA

Las agujas de acupuntura suelen ser de acero inoxidable. Miden unos 2,5 cm de largo y otro tanto en su zona de sujeción. Son sólidas y con la punta redondeada, y abren suavemente la carne. Pueden ser desechables o esterilizadas rigurosamente entre dos tratamientos.

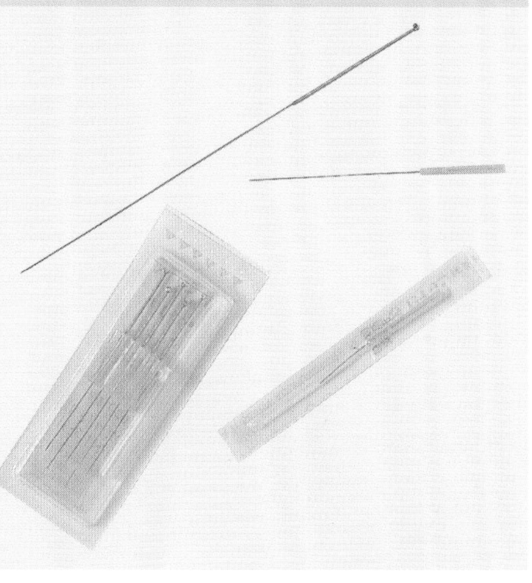

La medicina tradicional china

Los terapeutas sostienen que la fuerza vital, o energía, fluye a lo largo de los meridianos. La fuerza vital, conocida como *qi* o *chi*, tiene dos componentes principales, yin y yang. El equilibrio entre el yin y el yang es esencial para una mente equilibrada y un cuerpo sano. El yin es la fuerza vital femenina, pasiva y pacífica. El yang es la fuerza masculina, agresiva y batalladora. Mientras que el yin representa la oscuridad, el frío, la humedad y la inflamación, el yang representa la luz, el calor, la sequedad y la tensión. Mientras que el yin representa el descanso, la tierra, la introspección y el agua, el yang representa la actividad, el cielo, la expansión y el fuego. Cualquier desequilibrio entre el yin y el yang es causa de enfermedad y desarreglos. Esta teoría difiere completamente de la que sustenta la medicina occidental.

Al fluir nuestra energía por los meridianos, y porque las enfermedades representan un desequilibrio de nuestra fuerza vital, el acupuntor busca liberar o desbloquear los meridianos para restablecer el flujo energético en su interior. Esto se hace mediante la estimulación de los puntos de acupuntura.

Existen unos 1.000 puntos de acupuntura. Tradicionalmente, se pensaba que eran 365, uno por cada día del año. Los acupuntores occidentales no utilizan más de 200 puntos, algunos incluso menos. Los acupuntores tradicionales chinos utilizan muchas más agujas y durante más tiempo.

¿Funciona la acupuntura?

Para un occidental, es menos importante aceptar intelectualmente la teoría de la acupuntura que responder a dos preguntas: ¿Funciona? ¿Es segura? La acupuntura se lleva practicando durante siglos como uno de los elementos de la medicina ortodoxa china. Se utiliza para curar la enfermedad y aliviar el dolor. Se ha utilizado como anestesia durante el parto y algunas operaciones quirúrgicas. Estos datos están bien documentados. Claramente, la acupuntura funciona.

Cómo funciona la acupuntura

Los expertos occidentales sostienen que la estimulación de los puntos de acupuntura mediante agujas, la punta de los dedos en la acupresión, y el calor en la moxibustión (*véase* pág. 81), produce la liberación al torrente sanguíneo de dos sustancias químicas: las endorfinas, hormonas analgésicas y del placer, y las encefalinas, que adormecen los sentidos. Todo ello se traduce en el alivio del dolor. Al insertar una aguja, se dirige un impulso nervioso hacia la columna, que desencadena la liberación de endorfinas.

Otros expertos apoyan la teoría de la puerta de control, según la cual los impulsos del dolor pueden regularse por una puerta situada a lo largo de las vías del sistema nervioso. Algunas fibras nerviosas, al ser estimuladas por acupuntura o acupresión, cierran la puerta y dejan fuera el dolor.

Descubrir más de

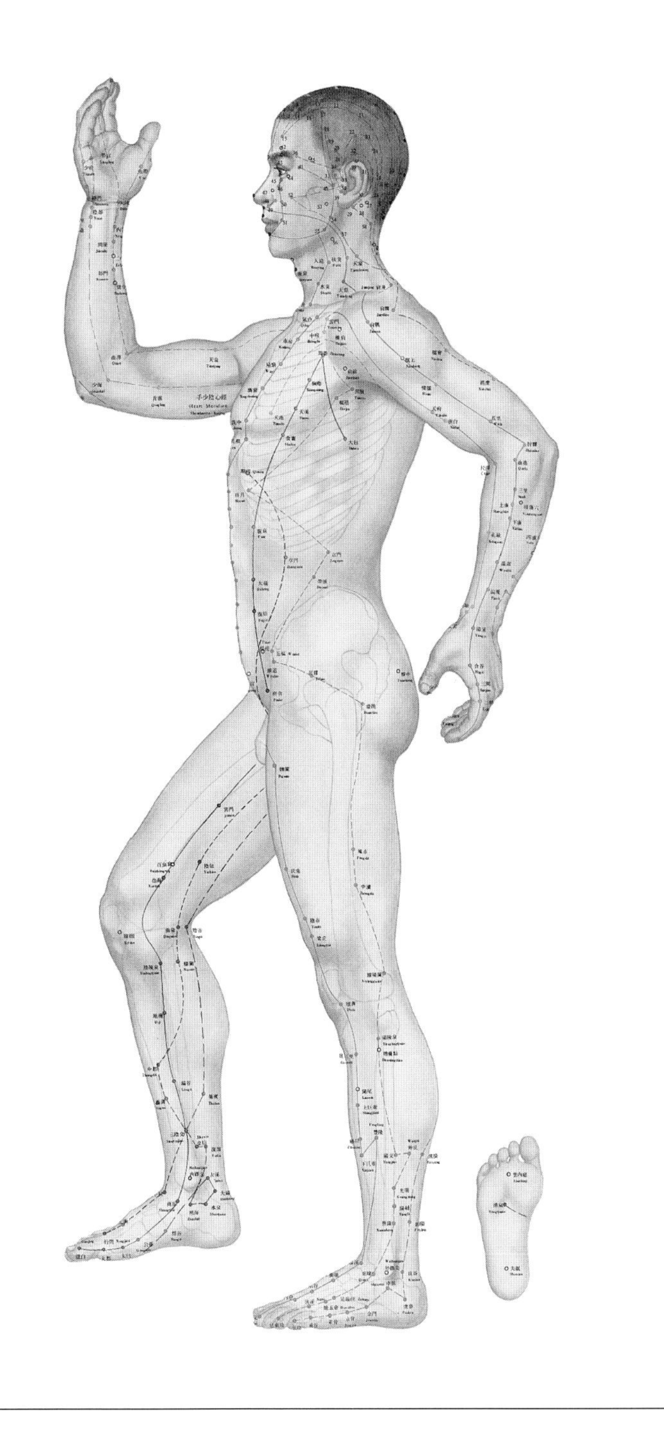

Los mapas de acupuntura muestran los 14 meridianos principales del cuerpo, y los puntos de acupuntura relevantes situados sobre ellos. Los puntos reciben nombres y números chinos a lo largo de los canales. Por ejemplo, sanyinjiao o bazo 6.

La acupuntura y la acupresión

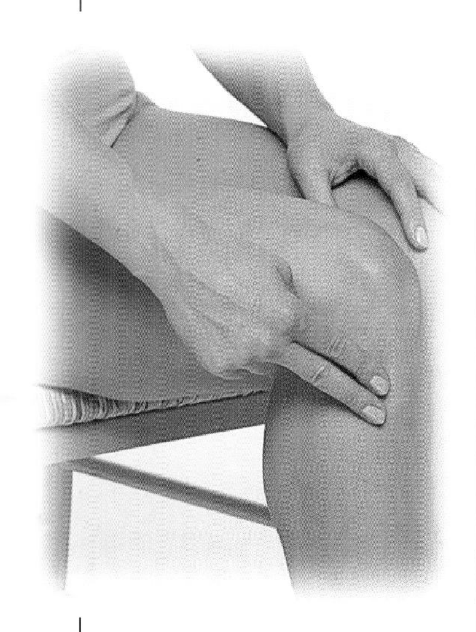

El hombre utiliza instintivamente el tacto para proporcionar alivio del dolor. La acupresión emplea el tacto y la presión de ciertos puntos a lo largo del cuerpo para aliviar determinadas patologías.

¿Es segura la acupuntura?

El que una terapia sea alternativa, complementaria o natural, no significa que sea segura. La acupuntura, por lo general, se considera segura, pero hay que tener en cuenta una cuestión importante: el terapeuta debe utilizar agujas desechables. Algunos afirman que las agujas esterilizadas son aceptables, pero para mayor seguridad, deberían ser de un solo uso.

Otros peligros asociados a la acupuntura incluyen desmayos, aumento del dolor y neumotórax (perforación pulmonar). Aunque se han dado casos, no son frecuentes.

La acupuntura se emplea actualmente en clínicas ortodoxas del dolor en los centros de salud de la mayoría de los países occidentales. Muchos médicos alopáticos alaban su eficacia, aunque no estén de acuerdo con el mecanismo exacto por el que funciona.

La consulta

Al acudir por primera vez a un acupuntor, éste determinará su estado de salud a través de un detallado historial médico y de las preguntas que formulará sobre su estilo de vida, dieta, ejercicio, hábitos de sueño y nivel de estrés.

El acupuntor lo tratará en función de las ancestrales normas del diagnóstico chino. Comprobará la lengua, la coloración y estado de la piel, el cabello, la postura y el aspecto general de bienestar, junto con el sonido de la respiración y la voz.

El acupuntor también diagnosticará a través del pulso para decidir el mejor tratamiento. El terapeuta calibrará el estado energético de los meridianos, simplemente tomando el pulso arterial radial en la muñeca.

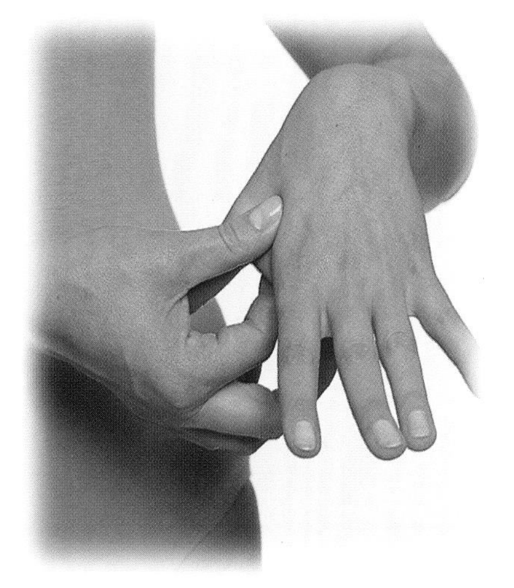

El punto L14 de acupresión, presionado con el pulgar y el índice, se manipula para aliviar cualquier tipo de dolor. Es un remedio rápido y sencillo para dolores leves y el dolor asociado a la artritis.

En cada muñeca existen seis pulsos, por tanto 12 en total. Cada pulso representa uno de los 12 principales órganos del cuerpo. Tomar el pulso se denomina palpación. El acupuntor experto puede diagnosticar múltiples enfermedades mediante palpación.

Una vez establecido el estado general de salud, el acupuntor insertará cuidadosamente las agujas en los puntos de acupuntura de determinadas partes del cuerpo.

La inserción de las agujas suele ser rápida, indolora y no causa sangrado. Se insertan a una profundidad de unos 6-12 mm y luego se giran suavemente entre el pulgar y el índice para estimular la energía o para aliviar la presión del punto de acupuntura. Puede que se sienta un ligero entumecimiento o cosquilleo. El acupuntor puede utilizar desde una o dos agujas, hasta una docena o más. Las agujas se dejan desde unos pocos minutos hasta más de media hora.

Los pacientes de artritis pueden sentir cierto alivio del dolor después de la primera sesión, pero lo más probable es que hagan falta varias, puede que media docena, hasta que se perciba un verdadero beneficio. También puede ser necesario continuar con las sesiones de acupuntura si el alivio del dolor no es muy duradero. Si no experimenta ninguna mejora después de más de siete u ocho sesiones, lo más aconsejable es acudir a otro acupuntor, o probar con otra terapia. Puede ser que la acupuntura no sea eficaz en su caso.

En casa

Aunque en realidad no se puede practicar la acupuntura sobre uno mismo, se pueden aprovechar los conocimientos adquiridos durante la sesión y aplicarse acupresión. Para ello, basta con masajear o aplicar una ligera presión con la punta de los dedos sobre los puntos que proporcionen mayor alivio durante la sesión de acupuntura. El acupuntor podrá explicarle el mejor modo de hacerlo y los puntos sobre los que deberá concentrarse.

Algunos acupuntores dejan puestas una o dos agujas, y eso le permitirá girarlas cada vez que sienta un dolor agudo. Pregúntele al acupuntor si en su caso está indicado.

Encontrar un buen especialista

La mejor manera de encontrar un terapeuta es el boca a boca. Además, puede comprobar las credenciales del acupuntor elegido en el correspondiente colegio profesional (*véase* cuadro "Descubrir más de").

Otra opción es pedirle al médico de familia o al especialista del hospital que le recomiende uno. La unidad del dolor del hospital seguramente dispondrá de algún acupuntor.

Descubrir más de

El shiatsu	94–95
Elegir un especialista	106–107
Recursos útiles	155

LA MOXIBUSTIÓN

Además de la acupuntura y la acupresión, los puntos de acupuntura pueden estimularse por la aplicación de calor mediante la combustión de una planta (moxibustión). La moxibustión tiene como objeto calentar el qi. El especialista coloca un pequeño cono de plantas pulverizadas (a veces ajenjo o artemisa), conocido como moxa, sobre un punto y cerca de la piel. Cuando el cono se calienta, se retira y se repite el proceso hasta que el especialista decide que se ha logrado el objetivo deseado. La moxibustión suele aplicarse donde y cuando la acupuntura por sí sola no resulta eficaz.

La fitoterapia

Antes de aparecer los medicamentos de laboratorio, casi todas las medicinas eran remedios a base de plantas y extractos de plantas, y en algunos países subdesarrollados sigue siendo así.

La combinación de agua y plantas naturales convierte la fitoterapia en eficaz y calmante para quienes sufren artritis.

Aunque la medicina científica occidental avanza a pasos agigantados en países como la India o China, el 85 por ciento de la población continúa confiando en los tratamientos y remedios a base de plantas.

Lo paradójico es que mientras los países orientales empiezan a adoptar con entusiasmo los métodos occidentales, un gran número de occidentales vuelven a los remedios herbales. Aunque muchos medicamentos de laboratorio deben sus orígenes a los componentes herbales, los remedios tradicionales a base de plantas, y la fitoterapia, experimentan un resurgimiento.

La fitoterapia es un arte ancestral con un toque moderno. Mientras que los antiguos fitoterapeutas se basaban principalmente en las tradiciones que pasaban de generación en generación, los fitoterapeutas modernos se someten a una rigurosa formación en una escuela reconocida de fitoterapia, donde trabajan con plantas orientales y occidentales, lo que les proporciona una mayor variedad de posibles tratamientos que los que tenían los antiguos fitoterapeutas. Hoy, casi todas las dolencias pueden ser tratadas con una planta específica, o alguna combinación de plantas.

Muchos remedios ancestrales han sido evaluados en ensayos clínicos en hospitales punteros para, al menos, descubrir el mecanismo de su funcionamiento.

Si le interesa la fitoterapia para la artritis, es importante consultar primero con el médico convencional. A diferencia de otras terapias complementarias, la fitoterapia no siempre es compatible con los medicamentos ortodoxos. Algunos tratamientos a base de plantas son fuertes y pueden ejercer un efecto tanto positivo como negativo. Algunas plantas interfieren en algunos de los ingredientes de los medicamentos ortodoxos.

Las plantas actúan de manera distinta que los medicamentos farmacéuticos. Para el fitoterapeuta, lo importante es restablecer el equilibrio y la armonía de todo el cuerpo, en lugar de limitarse a tratar los síntomas. Al utilizar toda la planta, y no algún componente aislado, existe un menor riesgo de sobredosis o de efectos secundarios adversos.

La visita al fitoterapeuta suele ser una experiencia más interesante que acudir a un médico convencional. Como pasa con otros tipos de medicina complementaria, el fitoterapeuta le hará preguntas sobre los antecedentes familiares, su estilo de vida, la dieta, los hábitos de ejercicio, el trabajo y los problemas de estrés.

El remedio elegido podrá combinarse con una dieta individualizada, algunos ejercicios beneficiosos y consejos para reducir el estrés. La fitoterapia moderna, como otras terapias complementarias, es un tratamiento holístico.

Los tratamientos a base de plantas pueden recetarse en forma de pastillas, tes, tisanas o tinturas, ungüentos, gotas, infusiones, supositorios, enemas, baños, cataplasmas o jarabes. Quizá le receten una mezcla de esencias de plantas que deberá quemar y luego inhalar.

Descubrir más de
La fitoterapia 84–85
La aromaterapia 50–52

UN CASO CLÍNICO

Anita, de 58 años, llevaba cuatro años sufriendo dolor y rigidez en las rodillas. El problema empeoraba gradualmente y decidió acudir a un fitoterapeuta tras ver un programa de televisión sobre el tema.

—Mi trabajo está en una quinta planta, y no hay ascensor. Noté que subir las escaleras empeoraba mi estado y que la jardinería, actividad que me encanta, me resultaba cada vez más penosa. Pensé que un fitoterapeuta me prestaría más atención que un médico convencional. Tomaba pastillas para aliviar la rigidez, pero no quería tomarlas toda la vida, y ése fue otro motivo para probar algo alternativo.

El fitoterapeuta me preguntó sobre mi dieta y me dijo que tenía un ligero sobrepeso, algo que yo ya sabía.

La consulta fue muy completa. El fitoterapeuta hizo radiografías de mis rodillas, me tomó la tensión, examinó mi lengua y me tomó el pulso. Me diagnosticó una osteoartritis debida a una mala circulación y a mi sobrepeso.

Me dijo que mi dolencia había empeorado por pasar mucho tiempo de pie y vivir en un país húmedo y frío.

Los tratamientos herbales que me prescribió tenían por objeto drenar las toxinas acumuladas en mis tejidos, estimular la circulación y reducir la inflamación. La prescripción era complicada y comprendía infusiones, tinturas, cataplasmas y baños de pies. También me recomendó la natación y caminar a buen ritmo, y me puso una dieta basada en alimentos integrales.

Tanto la consulta como el tratamiento resultaron ser experiencias muy agradables, así como la espectacular reducción de la rigidez. Me siento mucho mejor.

La fitoterapia

Los remedios a base de plantas son fáciles de preparar en casa. Unos minutos dedicados a preparar una infusión puede ser, en sí mismo, relajante y terapéutico.

Los remedios herbales suelen tardar más en actuar que los fármacos de laboratorio y, al ser más suaves, son muy útiles en caso de problemas crónicos. En patologías de difícil tratamiento, como el eccema y el asma, la fitoterapia está reemplazando a los tratamientos ortodoxos.

Buscar un tratamiento

Se pueden adquirir tratamientos a base de plantas en farmacias, pero la fitoterapia para problemas serios, como la artritis, no debería autoadministrarse. Los tratamientos herbales pueden ser muy complejos y deberían ser administrados por un fitoterapeuta competente. La mejor manera de encontrar un especialista es el boca a boca, pero, si no es posible, se puede acudir al colegio profesional para buscar uno cercano a nuestro lugar de residencia. Aunque nos lo hayan recomendado, hay que comprobar las credenciales del fitoterapeuta.

Como sucede con otros tratamientos para la artritis, no se puede garantizar la cura o la remisión permanente de la patología.

Durante la consulta

El fitoterapeuta no sólo tendrá en cuenta los síntomas, sino el estado general del organismo. Puede prescribirle plantas para estimular o relajar funciones corporales, como la digestión o la circulación, o para aumentar los niveles de energía. Le sugerirá una dieta, por ejemplo, aumentar el consumo de alimentos integrales, o reducir el de té, café o colas. El objetivo es estimular al organismo para que se cure él mismo, en lugar de suprimir los síntomas.

El fitoterapeuta británico Michael McIntyre afirma: "Los elementos tóxicos

acumulados con el tiempo pueden eliminarse con plantas de acción profunda. También usamos algunas plantas para ayudar a los órganos de eliminación, como el hígado y los riñones, de gran importancia ya que muchos pacientes que acuden a nosotros llevan años tomando medicamentos muy fuertes y peligrosamente tóxicos".

Las plantas no son siempre seguras

- Si nota algún efecto secundario, deje de tomar el remedio.
- No se exceda en la dosis prescrita.
- No prolongue en exceso el tratamiento.
- No recoja las plantas en el campo.
- No adquiera las plantas en el extranjero.

Descubrir más de

Elegir un especialista	*106–107*
La dieta	*142–147*
Recursos útiles	*155*

ALGUNOS REMEDIOS CON PLANTAS

Se ha demostrado la utilidad de las siguientes plantas en el tratamiento de la artritis:

ULMARIA	Es la hierba más recetada para la artritis. Contiene glicósidos salicílicos y ejerce una potente acción antiinflamatoria.
HARPAGOFITO	El harpagofito es también un antiinflamatorio. Mediante pruebas científicas se ha demostrado que ejerce una acción similar a la fenilbutazona, uno de los principales medicamentos antiinflamatorios.
BARDANA	Se utiliza para limpiar los tejidos en profundidad.
SEMILLA DE APIO	Estimula la eliminación del ácido úrico, por lo que resulta útil en el tratamiento de la gota.
ESTIGMA DE MAÍZ	Fortalece los riñones.
COLA DE CABALLO	Fortalece los riñones.
ORTIGA	Mejora la circulación y estimula la eliminación del exceso de ácidos.
ZARZAPARRILLA	Desintoxica el organismo.
FRESNO ESPINOSO	Favorece la circulación.

El fitoterapeuta también podrá utilizar hierbas chinas como *Achyrantes*, para eliminar la "humedad" de las articulaciones, angélica y una genciana de hoja grande.

La cola de caballo se usa desde hace mucho para aliviar molestias de riñón.

La bardana posee unas grandes hojas acorazonadas y flores moradas. Es apreciada por sus cualidades como limpiadora de tejidos.

La homeopatía

La medicina homeopática se basa en la teoría de que "semejante cura a semejante". Por ejemplo, una articulación inflamada, caliente y delicada, y que encuentra alivio con el frío, se trata con Apis, elaborado a partir de abejas, porque los síntomas se parecen a los de la picadura de una abeja.

El médico alemán Samuel Hahnemann (1755-1843) fue el creador de la homeopatía. Descubrió que, cuando una sustancia "similar" —similar en cuanto a su capacidad para producir un síntoma y estimular la capacidad autocurativa del organismo para eliminar ese síntoma— era empleada contra una enfermedad, los pacientes se curaban suave y permanentemente.

Las meticulosas observaciones que Hahnemann hizo de la medicina convencional lo convencieron de que ésta se basaba en la ley de los opuestos. En otras palabras, los médicos prescribían un medicamento para que el organismo funcionara al revés. Por ejemplo, una persona con mucosidad se tomará un medicamento que frene esa mucosidad. Sin embargo, un homeópata administrará una sustancia que provocaría mucosidad en una persona sana, pero que cura al enfermo.

Los remedios homeopáticos se elaboran con plantas, minerales, animales y materias insanas. Pasan por un proceso de dilución y agitado, denominado potenciación, por el que se liberan los poderes curativos de la sustancia, mientras que las cualidades tóxicas y dañinas son eliminadas. El remedio estimula la capacidad autocurativa del organismo y la restauración del equilibrio. Los remedios se encuentran disponibles en la consulta del homeópata, en las farmacias homeopáticas y en cada vez mayor número de farmacias convencionales.

Al ser la homeopatía una forma holística de curación, que trata tanto el cuerpo como la mente, no existen remedios para patologías sino para personas que sufren unos síntomas individuales. Esa individualidad es lo que permite al homeópata identificar el tratamiento correcto. Al prescribir un medicamento, el homeópata tiene en cuenta el estado mental del paciente, sus perspectivas, su personalidad y comportamiento en general, además de la enfermedad. Al igual que sucede con la mayoría de los tratamientos complementarios, la homeopatía pretende estimular el mecanismo de autocuración del organismo, sin efectos secundarios.

Lo esencial del concepto de homeopatía es que cuanta más pequeña sea la dosis, más potente será. Esta idea, en clara confrontación con la medicina convencional, ha sido uno de los mayores impedimentos para que la homeopatía sea aceptada por la profesión médica oficial.

La dosis de "ingrediente activo" es lo que produce el efecto curativo en la medicina homeopática, sin efectos tóxicos o secundarios. Así pues, la homeopatía nunca será dañina. Sin embargo, al ser un tratamiento muy delicado, sus efectos pueden ser anulados por medicamentos, alimentos u olores.

Muchos médicos ortodoxos opinan que los remedios homeopáticos no son más que un placebo, ya que no contienen principios activos evidentes. Sin embargo, la homeopatía es cada vez más popular y no es raro encontrar algún homeópata cualificado en los centros de salud.

Los remedios homeopáticos funcionan bien con animales; en concreto, han tenido mucho éxito con caballos de carreras, animales valiosos y delicados que reciben el tratamiento más eficaz y suave disponible, sin el riesgo de efectos secundarios adversos. Esto parece desacreditar a los detractores que afirman que la homeopatía actúa únicamente sobre la mente.

Aunque muchos remedios homeopáticos se encuentran en casi cualquier farmacia, quienes sufran una patología crónica, como la artritis, deberían acudir a un homeópata cualificado. Muchos homeópatas también son médicos ortodoxos y comprenderán ambos puntos de vista, y podrán recomendar tratamientos convencionales si lo creen necesario.

La homeopatía no trata problemas estructurales que requieran cirugía. Si necesita, por ejemplo, una prótesis de cadera, la homeopatía no servirá de nada. No puede reparar articulaciones desgastadas ni corregir deformidades óseas. Sin embargo, los remedios homeopáticos adecuados pueden acelerar el proceso de curación tras la cirugía. También funcionan como tratamiento preventivo, protegiendo frente a futuros daños y deformidades causadas por la artritis crónica.

Descubrir más de

La homeopatía 88–89
Elegir un especialista 106–107
Controlar el dolor 138–141

LAS PREGUNTAS DEL HOMEÓPATA

¿INFLUYE EL MOVIMIENTO EN LOS SÍNTOMAS?	Los síntomas que parecen mejorar en estado de reposo pueden requerir un remedio distinto al que mejora con el movimiento.
¿ES REPENTINA LA APARICIÓN DEL SÍNTOMA?	El homeópata necesitará saber si los síntomas han aparecido de repente, puede que violentamente, o si han empeorado de forma gradual durante cierto período de tiempo.
¿EN QUÉ MOMENTO DEL DÍA EMPEORAN LOS SÍNTOMAS?	El momento del día en que los síntomas están peor es un factor importante en el diagnóstico homeopático. Un remedio indicado para un dolor que empeora durante la noche no tiene por qué funcionar bien con uno que se agudiza por la mañana.
¿CÓMO AFECTA LA TEMPERATURA A LOS SÍNTOMAS?	En homeopatía, el efecto del frío y el calor es muy importante para decidir el remedio adecuado. Un dolor que empeora con el frío necesitará otro tratamiento que uno que empeora con el calor.
¿HAY ALGÚN FACTOR ESPECIAL QUE PROVOQUE EL INICIO DE LOS SÍNTOMAS?	Es importante que el homeópata sepa si los síntomas se iniciaron tras algún suceso significativo. Puede ser por un choque emocional repentino, causado por la muerte de algún familiar, o simplemente por la exposición al frío o la humedad.
¿CUÁL ES SU PERSONALIDAD?	La personalidad, retraída o extravertida, cautelosa o impulsiva, es un factor determinante a la hora de elegir el tratamiento. Dos personas con los mismos síntomas seguramente recibirán remedios distintos.
¿CÓMO ES SU SED?	Puede ser significativo para el diagnóstico saber si tiene mucha sed, o si prefiere las bebidas frías o las calientes.

La homeopatía

Ruta graveolens *es un remedio homeopático basado en la ruda común.*

Durante la primera consulta, el homeópata le hará muchas preguntas sobre la artritis. También le pedirá el historial médico detallado, empezando por el momento del embarazo de su madre, y una relación de las enfermedades infantiles sufridas. Le preguntará por su estilo de vida, gustos y fobias en la vida, así como por la regularidad de sus funciones corporales. También podrá preguntarle por su trabajo y aficiones. En caso de que tome algún medicamento ortodoxo, o lo haya tomado recientemente, deberá informar al homeópata.

Al finalizar la consulta, le prescribirá un remedio, o conjunto de remedios, adecuado para el problema. Hahnemann también hacía especial hincapié en la nutrición, por lo que el terapeuta seguramente le ofrecerá unos buenos consejos al respecto para minimizar los síntomas y posibles futuras recaídas de la artritis.

En *Materia Medica*, el libro de referencia de la homeopatía, existen más de 2.000 remedios homeopáticos. El homeópata también podrá consultar un repertorio, o índice de síntomas. La mayoría de los remedios provienen de plantas y minerales, pero algunos tienen origen animal, humano o de secreciones. Algunos provienen de microorganismos que se multiplican durante un proceso patológico y unos pocos se elaboran a partir de medicamentos modernos. La mayoría de los remedios reciben nombres en latín. Eso puede hacer que suenen algo misteriosos, pero un buen homeópata le explicará su origen.

La mayoría de los remedios homeopáticos modernos se presentan en forma de píldoras de lactosa impregnadas en una solución del remedio. Las pastillas se disuelven en la boca y no tienen sabor alguno. Algunos remedios se comercializan en forma de solución, en unos pequeños viales de cristal con tapón de rosca, y unos pocos en forma de ungüento.

En muchos países, los remedios homeopáticos son cubiertos por el seguro médico, siempre que los recete un médico cualificado. En el Reino Unido, por ejemplo, se encuentran en el servicio nacional de salud. Este servicio también dirige cinco hospitales homeopáticos y fomenta una serie de tratamientos complementarios, no sólo homeopáticos.

Mientras sigue algún tratamiento homeopático, puede que le aconsejen modificar su estilo de vida, ya que la experiencia demuestra que estos remedios no combinan bien con algunas sustancias. La eficacia de los remedios puede verse reducida o anulada si se fuma, bebe alcohol, o mucho té, café o colas. Hay que evitar cepillarse los dientes 15 minutos antes y después de tomar el remedio. Puede que le aconsejen evitar productos de aseo muy perfumados o limpiahogares con un fuerte aroma. Algunos aceites esenciales y de aromaterapia también interfieren en los tratamientos homeopáticos.

No es probable que los remedios homeopáticos interfieran en los medicamentos ortodoxos, aunque muchos de ellos, como esteroides, somníferos y antihistamínicos, bloquearán el efecto de los remedios homeopáticos.

Antes de abandonar un tratamiento ortodoxo a favor de uno homeopático, hay que consultar al médico y asegurarse de que no supondrá un riesgo para la salud. Nunca hay que interrumpir un tratamiento bruscamente y sin consultar al médico.

ALGUNOS REMEDIOS HOMEOPÁTICOS ADECUADOS

Existen remedios eficaces para tratar la artritis. Los homeópatas prescriben según la constitución del paciente, y no según sus síntomas. Lo que funciona para una persona no tiene por qué hacerlo para otra. Es necesario acudir a una consulta.

RHUS TOX (RHUS TOXICODENDRON O HIEDRA VENENOSA)	Es el remedio homeopático más habitualmente recetado para la artritis y el reumatismo que mejoran con la aplicación de calor y empeoran tras mucho tiempo sentado. Los pacientes que sienten rigidez al levantarse, y aquellos a los que el movimiento alivia, se beneficiarán de este remedio.
BRYONIA (BRIONIA BLANCA O BARBA DE VIEJO)	Se utiliza para casos de articulaciones muy doloridas y que empeoran con el movimiento, pero mejoran con el descanso y la inmovilización.
RUTA (RUDA)	Es un remedio útil para molestias que afectan a los tendones y ligamentos, como el codo de tenista.
CALC. PHOS. (FOSFATO CÁLCICO)	Remedio general para la artritis en las manos.
CALC. CARB. (CALCAREA CARBONICA, CONCHA DE OSTRA)	Calc. carb. es de especial utilidad en el tratamiento de la osteoartritis.
ARS. ALB (ARSÉNICO BLANCO)	Aunque potencialmente letal en malas manos, el arsénico en homeopatía proporciona alivio de los síntomas que empeoran por la noche y mejoran con el calor.
PULSATILLA (ANÉMONA)	Remedio homeopático de muchos usos que alivia los síntomas que empeoran con el calor y mejoran al aire libre.
APIS (PICADURA DE ABEJA)	Remedio homeopático de utilidad para los ataques repentinos en articulaciones calientes, inflamadas, sensibles que se alivian con frío, como en algunos tipos de artritis.

Descubrir más de

Elegir un especialista 106–107

Rhus tox, la hiedra venenosa, se usa para muchas formas de artritis.

Brionia blanca se utiliza para problemas de articulaciones.

La anémona se emplea para el remedio homeopático, Pulsatilla.

La osteopatía

Una de la técnicas para tratar el dolor mediante la corrección de los problemas óseos y articulares por la manipulación experta es la osteopatía, admitida por la medicina ortodoxa.

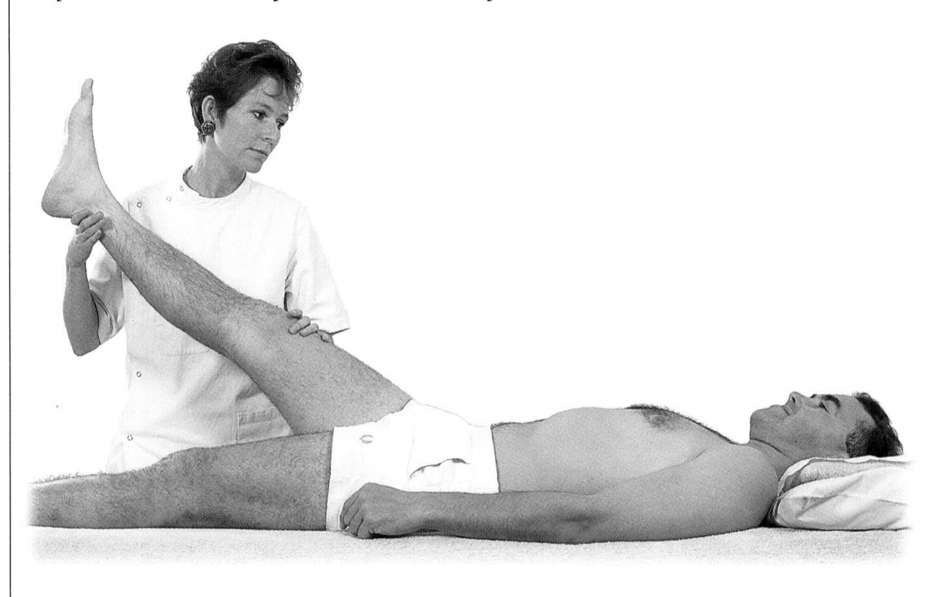

Un buen osteópata examinará el sistema musculoesquelético del paciente antes de decidirse sobre el tratamiento adecuado.

Existen diversas técnicas de manipulación, entre ellas la osteopatía, la quiropráctica y la medicina ortopédica. Durante siglos ha habido personas que manipulaban las articulaciones para normalizarlas, pero la osteopatía, en su forma moderna, fue desarrollada por el médico Andrew Stil durante la guerra civil norteamericana.

El doctor Still estaba convencido de que la columna era la fuente de la buena salud y que, si se trataba la columna, el resto del cuerpo respondería positivamente. Creía que problemas como la falta de alineación de las vértebras y el mal funcionamiento de las articulaciones impedía la circulación de la sangre y afectaba al funcionamiento del sistema nervioso, impidiendo que el organismo luchara contra la enfermedad. Still empezó a manipular articulaciones por cuestiones de salud en 1874. La osteopatía necesitó casi 100 años para ser aceptada como una disciplina científica.

Los osteópatas se basan en sus habilidades manipulativas para aliviar el dolor y restaurar la movilidad a las articulaciones rígidas y doloridas. En Estados Unidos, los osteópatas tienen la categoría de médicos y pueden remitir pacientes a otros especialistas, y algunos hasta practican cirugías. En otros países occidentales, los osteópatas no han adquirido esta posición.

La osteopatía es parecida a la quiropráctica y ambas terapias tratan los mismos problemas con técnicas parecidas. Sin embargo, existen algunas diferencias. Los osteópatas trabajan más el tejido blando, con masajes superficiales y profundos, que los quiroprácticos, y movilizan las articulaciones mediante tracción o articulación. Esto significa que devuelven toda la movilidad a las articulaciones de manera pasiva, y no con una sacudida como puede hacer un quiropráctico.

Tratar la artritis

La osteopatía está indicada para la osteoartritis y problemas de desgaste de la columna, pero no tanto para la artritis reumatoide y otras formas de artritis inflamatoria. Los osteópatas ayudan a aliviar los síntomas de la artritis, pero no pueden curarla. El paciente puede sentir el alivio instantáneo del dolor y la rigidez pero ésta volverá con el tiempo. La osteopatía no reduce la inflamación, ni evita la acumulación de productos de desecho en las articulaciones.

Aunque la osteopatía ya no se considera un tratamiento alternativo, algunos médicos ortodoxos siguen mostrando su escepticismo hacia ella. Opinan que la artritis se caracteriza por períodos de remisión y de dolor agudo o crónico, de modo que no es fácil determinar si el tratamiento osteopático ha servido de ayuda o si la enfermedad simplemente ha entrado en remisión. Hay médicos, e incluso pacientes, que piensan que la osteopatía puede ser peligrosa. Sin embargo, es uno de los tratamientos físicos más seguros para la artritis.

Los osteópatas suelen trabajar en clínicas bien equipadas tras elaborar un detallado historial clínico del paciente que incluye preguntas sobre el historial médico y el estilo de vida. Las sesiones suelen durar una hora y hará falta unas seis sesiones, en función de la gravedad de la artritis.

El principal beneficio de la osteopatía para los artríticos consiste en cambiar la posición de algunos huesos y articulaciones a través de la manipulación del osteópata sobre el esqueleto. Los osteópatas afirman que el secreto de su tratamiento consiste en intercalar períodos de terapia manipulativa con períodos de descanso que ofrezcan más posibilidades de autocuración al cuerpo. No existe ningún efecto secundario adverso y el paciente debería sentirse mejor.

Descubrir más de

La quiropráctica 92–93
Elegir un especialista 106–107

CASO CLÍNICO

Bill empezó a sentir dolor en las articulaciones a los cuarenta y tantos años. Amante del deporte, había jugado al fútbol y practicaba el squash. Bill reservó una sesión con el osteópata del centro deportivo al que acudía.

—El osteópata elaboró un historial de mi caso y me pidió que me desvistiera y me tumbara en el suelo. Empezó a presionar mis articulaciones mientras me pedía que le indicara dónde sentía dolor. Me alarmé cuando me diagnosticó artritis, pues creía que el deporte me ayudaría a prevenirla. Me dijo que, seguramente, se debía al desgaste sufrido cuando jugaba al fútbol.

Empezó a manipular las zonas doloridas y noté un alivio inmediato. La primera sesión duró unos 45 minutos, y las siguientes unos 20 o 30. El tratamiento fue duro y fuerte, y me gustó. Me ha permitido mantener a raya la artritis, con alguna sesión de mantenimiento de vez en cuando, y no tengo que depender de los medicamentos.

La quiropráctica

La quiropráctica es parecida a la osteopatía y la medicina ortopédica pues alivia el dolor mediante la manipulación de las articulaciones. Hay pequeñas diferencias en las técnicas empleadas. Los quiroprácticos pueden apoyar su diagnóstico en radiografías, mientras que los osteópatas se basan en su conocimiento del cuerpo humano para "sentir" la disfunción.

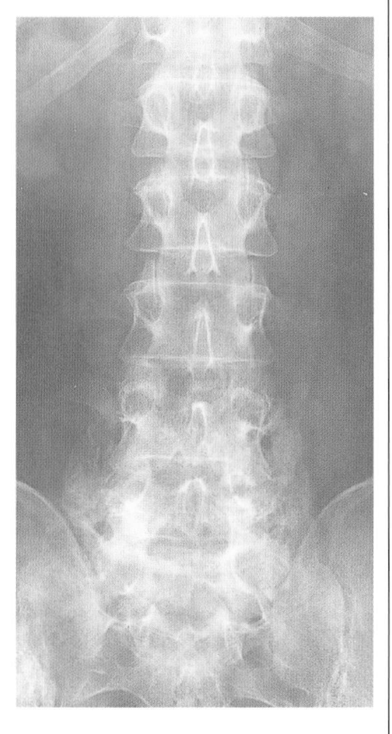

Esta radiografía proporciona una imagen clara de las vértebras lumbares de un hombre mayor. El quiropráctico utiliza radiografías similares a ésta para diagnosticar el problema. Buscará, en particular, cualquier alteración en la alineación de las vértebras.

Los quiroprácticos afirman que las radiografías permiten un diagnóstico más preciso y posibilitan que se centren directamente en el problema. Esto puede tranquilizar a los artríticos ya que significa que hay menos riesgo de manipular, o de manipular en exceso, las articulaciones inmóviles. La elección de la terapia dependerá de la afinidad que se sienta por las radiografías. Si le preocupan los efectos de la radiación, puede que prefiera acudir a un osteópata.

El primer tratamiento quiropráctico tuvo lugar en 1895, en Davenport, Iowa, y se hizo rápidamente popular. Su inventor fue Daniel David Palmer, un empresario y aventurero canadiense que se interesó primero por el poder curativo del magnetismo, popular en aquella época. Palmer se convirtió en un sanador mediante la imposición de manos y pronto sintió curiosidad por conocer el origen de la enfermedad.

Las investigaciones de Palmer lo llevaron a creer que había una estrecha relación entre las vértebras de la columna y enfermedades de todo tipo. Sabía que la manipulación se había practicado en el antiguo Egipto y pretendió haber redescubierto la práctica e incorporarla a la vida moderna. También investigó la nueva ciencia de la osteopatía, pero formuló sus propias ideas sobre el papel de la columna con respecto a la salud.

Tras su éxito inicial al tratar la sordera mediante la manipulación de la columna, Palmer decidió establecerse. Sin embargo, fue juzgado, condenado y encarcelado por practicar la medicina sin licencia en Scott County, Iowa, en 1906. Después de aquello, cientos de quiroprácticos se enfrentaron a multas y condenas por practicar la medicina sin licencia, y así continuó en Estados Unidos hasta la década de 1960.

La quiropráctica se hizo cada vez más popular entre la población y la disciplina consiguió florecer a pesar de ser considerada poco científica. En parte, la quiropráctica debía su éxito a que los terapeutas practicaban lo que se dio en llamar cirugía sin sangre, en una época en que la cirugía era una práctica muy dolorosa y arriesgada, incluso mortal. Otro motivo de su éxito fue que los pacientes se sentían a menudo mejor nada más terminar el tratamiento. Normalmente no había ningún efecto secundario adverso, un aspecto negativo de los medicamentos ortodoxos y la cirugía.

¿A quién beneficia?

El quiropráctico restablece el movimiento normal de una articulación alterada, de modo que el movimiento anormal de los músculos y las articulaciones suele responder al tratamiento quiropráctico.

La quiropráctica está indicada cuando el cuerpo es incapaz de curarse tras una lesión de hueso y articulación. Funciona mejor contra el dolor y las alteraciones antes de que la enfermedad sea irreversible.

Los quiroprácticos buscan lo que llaman subluxaciones —vértebras mal alineadas y con anomalía bioquímica— y otras articulaciones que impidan el normal funcionamiento. El quiropráctico influye en los impulsos nerviosos que regulan las beta-endorfinas, el analgésico natural del organismo, incluso cuando la artritis haya progresado demasiado como para que se restaure la plena movilidad.

La artritis muy dolorosa puede aliviarse con la quiropráctica que estimula el funcionamiento del mecanismo de autocuración del organismo. Sin embargo, el quiropráctico no puede revertir, o tratar la artritis severa cuando ya se ha producido deformidad e incapacidad.

El tipo de artritis, o reumatismo, que mejor responde a la quiropráctica es el de origen neuro-muscular o vascular que afecte a la columna y las extremidades. Los tipos inflamatorios no suelen ser tratados con quiropráctica.

Cómo funciona

Según los quiroprácticos, la terapia funciona a tres niveles. El primero es el mecánico y anatómico que restablece el movimiento mediante la mejora de las funciones a través de una serie de técnicas de manipulación de la columna y movilización de articulaciones. El segundo nivel es el del alivio del dolor. El tercer nivel es el mental y emocional, y es en el que el quiropráctico practica el toque sanador.

La primera visita a un quiropráctico incluirá la elaboración de un detallado historial médico que incluya el estilo de vida y una evaluación del estado general mediante el tacto experto del terapeuta. Antes de iniciar cualquier tratamiento, el terapeuta decidirá si la quiropráctica es adecuada para su dolencia. Si lo es, el siguiente paso podría ser una radiografía.

La quiropráctica implica empujar, tirar y abrir el músculo contra el hueso. El número de sesiones dependerá de la gravedad del problema. Como sucede con la osteopatía, el tratamiento se siente, y puede que se produzcan algunos momentos de dolor, pero no debería ser muy fuerte. Es importante asegurarse de que el quiropráctico esté plenamente cualificado, y que comprenda perfectamente la exacta naturaleza del su problema en particular.

Descubrir más de

La osteopatía 90–91
Elegir un especialista 106–107

El quiropráctico emplea una serie de técnicas diferentes para manipular la columna. Durante la terapia, puede que escuche el crujido de los huesos.

El shiatsu

El término japonés shiatsu *significa "presión con los dedos". Sin embargo, el especialista en shiatsu no sólo utiliza los dedos, sino las manos, pulgares, codos, e incluso las rodillas o los pies, para conseguir la fuerza y profundidad deseada para el masaje.*

La presión proporcionada por un masaje de shiatsu debería provocar una sensación a medio camino entre el dolor y el placer.

Este sistema de masaje con la punta de los dedos tiene cierta semejanza con la acupresión, ya que ambos se basan en los puntos de presión a lo largo de los meridianos asociados con las funciones de los órganos vitales. Al igual que la acupresión, el shiatsu pretende estimular los niveles energéticos del organismo (*ki*, en japonés). Sin embargo, en lugar de estimular la energía para aliviar el dolor, el shiatsu se centra en liberar o desbloquear los canales energéticos para favorecer la salud. En otras palabras, incide en la prevención de la enfermedad y no en tratar síntomas específicos.

En Japón, el shiatsu se considera un eficaz medio de diagnóstico temprano, así como un medio para prevenir la enfermedad. Muchas personas se someten con regularidad a tratamientos de shiatsu, hasta una vez por semana. El shiatsu beneficia al cuerpo, la mente, las emociones y el espíritu, todo al mismo tiempo. Sus puntos fuertes están en la estimulación del sistema inmunológico del organismo, de gran valor en el tratamiento de la artritis y una serie de patologías que tienen el dolor como denominador común.

La profundidad y la fuerza del masaje de shiatsu mejoran la circulación y el flujo del líquido linfático, actúan sobre el sistema nervioso y ayudan a eliminar las toxinas y tensiones arraigadas en los músculos, además de estimular el sistema endocrino.

Las técnicas de shiatsu se conocen en Japón desde hace cientos de años, pero en Occidente se han popularizado recientemente. El shiatsu apareció en el Reino Unido en la década de 1970, y la sociedad de shiatsu se fundó en 1981.

La consulta

La primera sesión de shiatsu suele comenzar con la elaboración de un detallado historial por parte del terapeuta. El shiatsu afecta a todos los niveles: físico, emocional, psicológico y espiritual. El tratamiento se adapta al carácter y estado de salud de cada paciente. El terapeuta le hará preguntas sobre su dieta, el ejercicio que practica y algunos detalles sobre su estilo de vida. A lo mejor le aconseja cambiar de régimen con vistas a mejorar su estado.

El tratamiento, como buen masaje, implica la aplicación de presión de distintas maneras, y puede que una serie de movimientos ejecutados sobre una parte del cuerpo y no sobre un particular punto de presión. En ocasiones se utiliza la yema del pulgar, y otras veces los dedos, y también la palma o el talón de la mano. El terapeuta puede utilizar el codo o, quizá, el antebrazo o la rodilla.

La fuerza que aplique el terapeuta dependerá de muchos factores, incluyendo el lugar donde ésta se vaya a aplicar, la reacción del paciente, y si el efecto buscado es sedante o estimulante. La presión se suele aplicar durante unos segundos, a veces un poco más, y puede repetirse varias veces en un mismo punto. Cada sesión dura más o menos una hora.

La sesión de shiatsu suele realizarse sobre el suelo, pero, si no es posible hacerlo en esa posición, el terapeuta le tratará de otra manera. La Sociedad de Shiatsu de Gran Bretaña ofrece las siguientes directrices antes de asistir a una consulta:

- Coma algo ligero, al menos una hora antes de la sesión. El día del tratamiento, lo mejor es no comer mucho ni beber alcohol.
- No se dé un baño de agua caliente el día del tratamiento.
- Para la sesión, deberá llevar ropa suelta, preferiblemente de algodón.
- Lleve consigo los informes médicos que tenga y una lista de los medicamentos que tome.
- Informe previamente al terapeuta si está embarazada o si se ha sometido recientemente a un proceso importante, como una intervención quirúrgica o un tratamiento de radioterapia.

En casa

Después de la sesión de shiatsu, seguramente se sentirá revitalizado, y al mismo tiempo, relajado. No se sorprenda si no nota mucha mejora tras la primera cita, ya que el shiatsu suele requerir una serie de sesiones para producir su efecto.

La duración y la frecuencia del tratamiento dependerán de cada persona, y de lo avanzada que esté la artritis. Puede que sienta dolor de cabeza, o síntomas parecidos a los de la gripe durante un día o dos, pero no es más que el resultado de los esfuerzos del organismo por eliminar toxinas, y debería considerarse una buena señal.

El shiatsu se desarrolló inicialmente como un tratamiento casero, y las técnicas han pasado de una generación a otra. Por tanto, es posible aprender a aplicarse uno mismo presión con los dedos, y practicar algunas de las técnicas en casa.

Los artríticos también pueden beneficiarse de una técnica afín, conocida por el nombre de "do-in", que significa "autoestimulación". Es una forma de automasaje de acupresión de músculos y ciertos puntos, y también incluye movimientos, estiramientos y ejercicios de respiración.

Descubrir más de

El masaje 68–73
La acupuntura y la acupresión 78–81

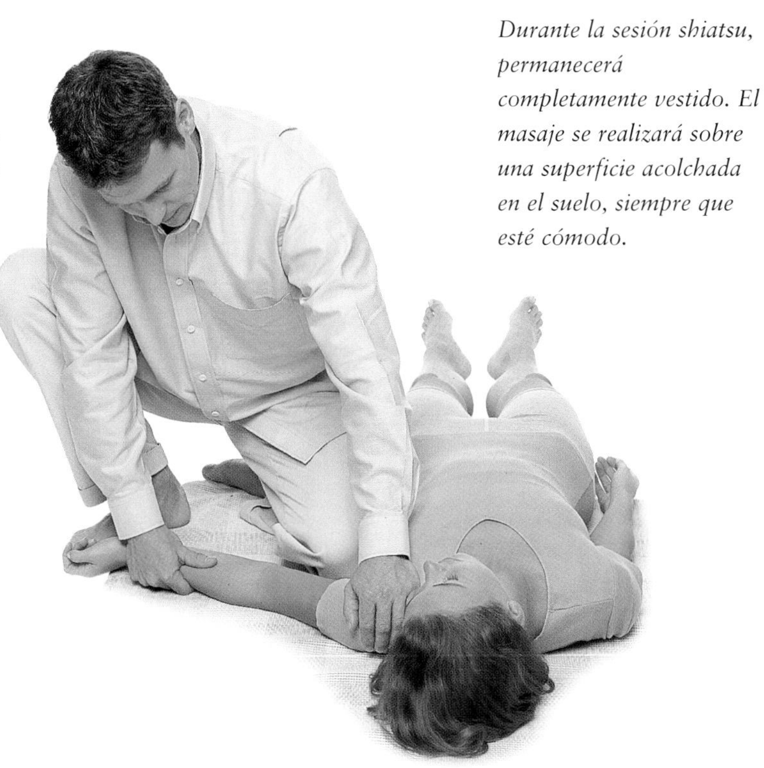

Durante la sesión shiatsu, permanecerá completamente vestido. El masaje se realizará sobre una superficie acolchada en el suelo, siempre que esté cómodo.

La reflexología

La reflexología es cada vez más popular gracias a su capacidad para aumentar los niveles de energía, generar una sensación de bienestar y aliviar el dolor. Se trata de una terapia beneficiosa para muchas personas que sufren artritis.

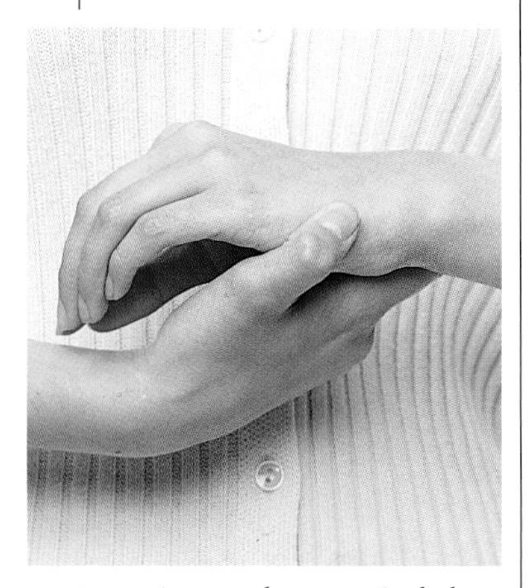

Aunque la mayoría de los reflexólogos trabaja sobre los pies, la aplicación de presión sobre los reflejos de la mano suele ser más cómodo para un automasaje.

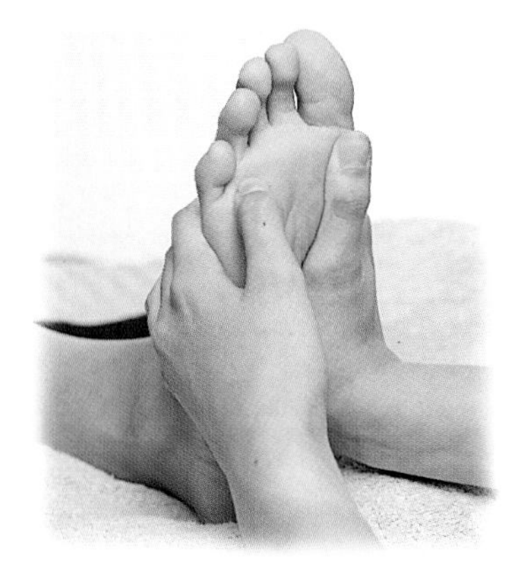

El pie alberga los numerosos puntos de presión utilizados por los reflexólogos para estimular las propiedades curativas de un paciente.

Al igual que la acupuntura y la acupresión, la reflexología se basa en los mismos principios de una fuerza vital que fluye por el cuerpo a lo largo de canales. Sin embargo, los puntos terminales, o zonas reflejas, de los canales energéticos en reflexología se sitúan en los pies y las manos. En acupuntura, esos puntos terminales se sitúan por todo el cuerpo. El reflexólogo no utiliza agujas, como en acupuntura, para estimular los puntos, sino la presión. La acupresión trabaja sobre los mismos puntos que la acupuntura, pero con presión.

La reflexología se ha desarrollado según el concepto básico de que cada parte del cuerpo está conectada con unos caminos que finalizan en las zonas reflejas de los pies o las manos. Al aplicar una presión controlada sobre esos reflejos de un modo preciso y sistemático, el reflexólogo estimula el cuerpo del paciente para que éste alcance el estado de bienestar y salud.

El cuerpo posee una enorme capacidad de autocuración. Tras una enfermedad, o situación de estrés, el organismo se encuentra en situación de desequilibrio, con los canales de la energía vital bloqueados, lo que le impide funcionar correctamente. El reflexólogo desbloquea estos canales. Además, el tratamiento sobre todo el pie puede producir un efecto profundamente relajante y curativo sobre todo el organismo.

La utilización de los puntos de presión en el pie para estimular las propiedades autocurativas del organismo no es nada nuevo. La reflexología se practica desde hace miles de años, en alguna de sus variedades, por distintas culturas en todo el mundo. Existen evidencias de que en China se conoce desde hace 5.000 años, y desde hace 4.000 en Egipto. La práctica se extendió por Europa entre los siglos V y IX, y durante la Edad Media se practicaba alguna forma de terapia sobre puntos de presión.

Tiempos modernos

La reflexología moderna tiene su origen en los estudios médicos y neurológicos llevados a cabo en el Reino Unido y Alemania durante la década de 1890. La tradición de la terapia sobre puntos de presión se fusionó con los nuevos descubrimientos sobre la terapia de zona y los efectos del masaje sobre el sistema nervioso simpático.

El doctor William Fitzgerald, otorrinolaringólogo norteamericano de finales del siglo XIX, impulsó esta técnica en 1913. El doctor Fitzgerald descubrió que al presionar ciertos puntos de los pies se inducía un efecto anestésico sobre ciertas partes del cuerpo. Experimentando con la aplicación de presión sobre distintas partes de los pies, con las manos o con algún instrumento especial, desarrolló un sistema que denominó terapia de zona. La reflexología, o terapia de zonas reflejas, como se conoce a veces, se hizo popular en Estados Unidos en la década de 1930 y fue introducida en el Reino Unido en el decenio de 1960.

Una teoría de la reflexología moderna es que, cuando nuestros antepasados caminaban y corrían descalzos sobre un suelo irregular, las terminaciones nerviosas y zonas reflejas del pie recibían un constante masaje. Pero hoy pasamos la mayor parte del tiempo sentados y, cuando caminamos, lo hacemos sobre una superficie dura y plana, con los pies encerrados en zapatos. Por tanto, ya no reciben masajes ni estímulos.

Cuando una mujer lleva zapatos de tacón, se altera el reparto del peso sobre la planta: unas zonas reciben una presión adicional y otras no resultan estimuladas.

¿A quién beneficia?

La reflexología no puede curar la artritis, pero alivia el dolor crónico y aumenta los niveles de energía. Más que para curar, se aplica para aliviar el cansancio y el dolor. Por eso es un buen complemento para otros tratamientos, sean complementarios o de medicina convencional. Mucha gente que toma fármacos o sigue algún tratamiento médico nota que la reflexología reduce, o elimina, los efectos secundarios y, así, aumenta los beneficios de la medicina ortodoxa. Tras una cirugía, la reflexología ayuda a estimular el proceso de curación.

Uno de los aspectos más interesantes de la reflexología en el tratamiento de la artritis es que algunos terapeutas afirman ser capaces de detectar depósitos cristalinos de calcio o ácido úrico. De ser así, las personas que padecen gota podrían beneficiarse de unas sesiones de reflexología. Sin embargo, otros terapeutas afirman que los depósitos que sienten son una acumulación de ácido láctico.

La consulta

El reflexólogo elaborará un detallado historial médico y del estilo de vida del paciente durante la primera consulta. Después, examinará los pies, fijándose en su aspecto general, temperatura y color. Antes de iniciar el tratamiento, el reflexólogo aplicará polvos de talco para facilitar el movimiento suave y uniforme de sus manos sobre la superficie del pie.

Durante el tratamiento, ejercerá una presión variable con el pulgar sobre los reflejos de los pies, concentrándose en cualquier zona sensible. Estas zonas indican qué parte del cuerpo está falta de equilibrio. Las sesiones suelen durar unos 50 minutos y pueden empezar siendo semanales, para celebrarse posteriormente cada dos o tres semanas.

Durante el tratamiento, el cuerpo experimenta un proceso desintoxicación. Esto puede manifestarse después en los llamados efectos secundarios de la reflexología, que comprenden articulaciones doloridas, diarrea, mayor necesidad de orinar, sensación de catarro. Si se produce alguno de estos síntomas, debería tenerse por buena señal, pues indica que el organismo está eliminando las impurezas y toxinas. En cualquier caso, no durarán mucho tiempo.

Descubrir más de

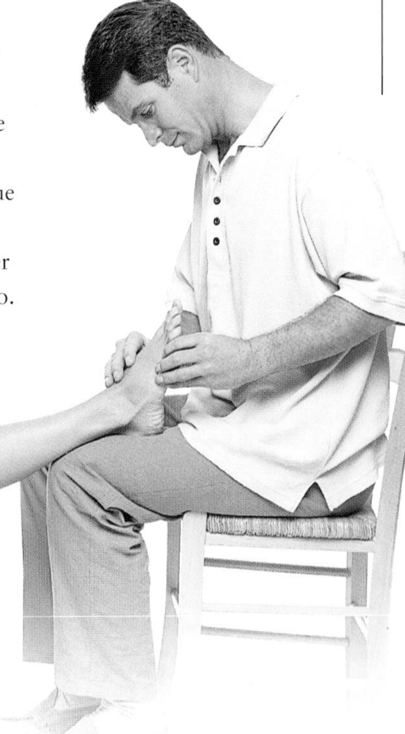

Durante una típica sesión de reflexología hay que sentarse o tumbarse cómodamente con los pies elevados y descalzos.

La reflexología

Los puntos de reflexología
Casa zona del pie corresponde a un órgano o parte del cuerpo concreto. Para los órganos pares (pulmones, riñones, etc.) el pie derecho corresponde al lado derecho del cuerpo y viceversa.

1 *Cerebro/coronilla*
2 *Senos/cerebro/coronilla*
3 *Lateral del cerebro/cabeza/cuello*
4 *Glándula pituitaria*
5 *Columna*
6 *Cuello/garganta/glándula tiroides*
7 *Paratorioides*
8 *Glándula tiroides*
9 *Tráquea*
10 *Ojo*
11 *Trompa de Eustaquio*
12 *Oído*
13 *Hombro*
14 *Pulmón*
15 *Corazón*
16 *Plexo solar*
17 *Estómago*
18 *Páncreas*
19 *Riñón*
20 *Hígado*
21 *Vesícula biliar*
22 *Bazo*
23 *Colon ascendente*
24 *Colon descendente*
25 *Intestino delgado*
26 *Vejiga*
27 *Nervio ciático*
28 *Nervio ciático*
29 *Cadera/espalda/nervio ciático*
30 *Ovario/testículo*
31 *Región pélvica*
32 *Zona lumbar*
33 *Linfa/ingle/trompa de Falopio*
34 *Mama/pulmón*
35 *Brazo/hombro*
36 *Senos/cabeza/cerebro*
37 *Rodilla/cadera/zona lumbar*
38 *Próstata/útero/recto/ nervio ciático*
39 *Útero/próstata*
40 *Sacro/coxis*
41 *Zona lumbar*
42 *Región torácica*
43 *Pecho/pulmón/mama/ espalda/corazón (pie izquierdo)*

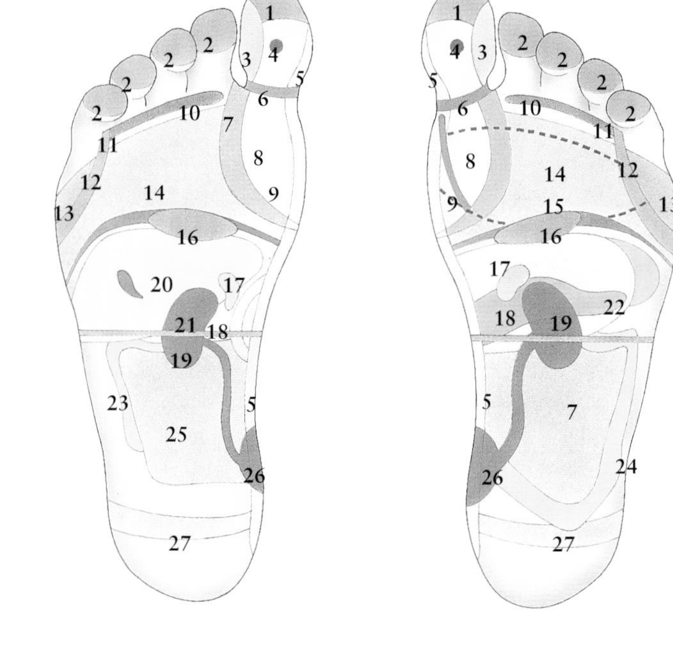

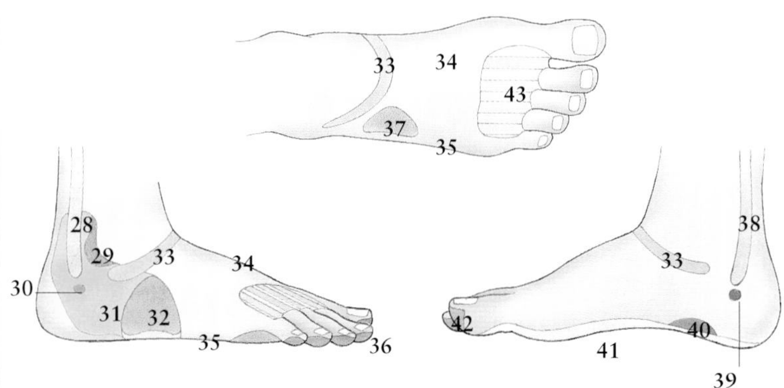

¿Cómo funciona?

No existe una teoría unificada sobre cómo funciona la reflexología, pero los reflexólogos afirman que los beneficios de la terapia derivan de alguno o la totalidad de los procesos siguientes:

- una profunda relajación muscular y el alivio de la tensión y el estrés.
- una mejoría de la circulación cardiovascular y linfática.
- la estimulación e inhibición de la transmisión de los impulsos nerviosos hacia el cerebro, sobre todo los del sistema nervioso autónomo.
- la reducción del dolor a través de la puerta de control (*véase* pág. 79) y la estimulación de la producción de endorfinas.
- la estimulación de los puntos clave sobre los meridianos de acupuntura.
- los efectos sobre el campo electromagnético del cuerpo.
- los beneficios de una hora de descanso.
- los beneficios psicológicos de una hora de atención y cuidado personalizado.

En casa

El máximo beneficio se logra al recibir un masaje de reflexología, pero también se obtiene alivio al trabajarse uno mismo algunos de los puntos de reflexología. El terapeuta podrá enseñarle cómo hacerlo y asegurarse de que lo hace correctamente.

Siempre que pueda, camine descalzo. Caminar descalzo por la casa masajeará y estimulará los puntos de reflexología. Igualmente, si camina descalzo sobre la hierba, la arena, la tierra o sobre piedras suaves, aumentará los niveles energéticos de su organismo y se sentirá mejor.

Una versión moderna de la reflexología, el Vacuflex, utiliza una bomba de vacío y la succión para simular el efecto de las manos de reflexólogo.

El biofeedback

Los artríticos pueden beneficiarse del biofeedback, donde las ondas cerebrales y otras actividades fisiológicas se monitorizan para permitir el control consciente de funciones inconscientes.

Descubrir más de

La relajación 58–59
La autohipnosis 60–61
Controlar el dolor 138–141

La técnica del biofeedback fue inventada en Estados Unidos, en el año 1958, por Joseph Kamiya mediante un electroencefalógrafo. Kamiya investigaba el proceso del sueño y la ensoñación y, al interesarse por la naturaleza de la consciencia humana, utilizó el electroencefalógrafo para detectar los sueños mientras se dormía. Halló que las personas eran capaces de alterar su estado mental y alcanzar el ritmo alfa (el ritmo regular de las ondas cerebrales durante el descanso) utilizando el feedback de una habitación contigua.

Con el biofeedback, las personas provocan sus propios cambios fisiológicos de modo consciente o inconsciente. Nadie sabe bien cómo, ni por qué, funciona. Se cree que las personas utilizan el feedback de la información para cambiar, y seguir cambiando, lo que hacen, hasta alcanzar el estado emocional deseado (en el caso de los artríticos, el alivio del dolor). Los cambios fisiológicos, junto con el placer y la sensación de poder derivado del autocontrol positivo, son la clave del éxito del biofeedback.

Hoy, los instrumentos de biofeedback son muy complejos. La respuesta visual o auditiva de un aparato extremadamente sensible nos permite percibir funciones fisiológicas inconscientes, o involuntarias, entre las que se incluye el ritmo cardiaco, la temperatura de la piel y las ondas cerebrales. La ventaja del procedimiento es que, en cuanto la máquina está conectada, recibimos un feedback instantáneo y preciso sobre nuestro estado de salud. Por ejemplo, enseguida se ve si el pulso está acelerado, o si la temperatura corporal está por encima de lo normal.

Un especialista cualificado en biofeedback podrá enseñarle a utilizar el aparato. Al principio, le enseñará a relajarse y a ralentizar las funciones para reducir el estrés y la ansiedad. Después, los pacientes podrán adquirir sus propios aparatos y utilizar las técnicas aprendidas a diario y en su casa, responsabilizándose así de su propia salud.

El biofeedback se suele utilizar para aliviar determinados problemas médicos, así como para aprender a dominar el estrés. También es capaz de activar la respuesta de relajación, de modo que el sistema inmune del organismo estimule el proceso de autocuración.

Para los artríticos, el principal beneficio es el control y alivio del dolor. Las reacciones de relajación son medidas con precisión con la técnica del biofeedback, y el sujeto podrá comprobar cuánto, o si, se está relajando. Esto le permitirá controlar su propio nivel de dolor y también puede ayudarlo a disminuir la dependencia de los analgésicos.

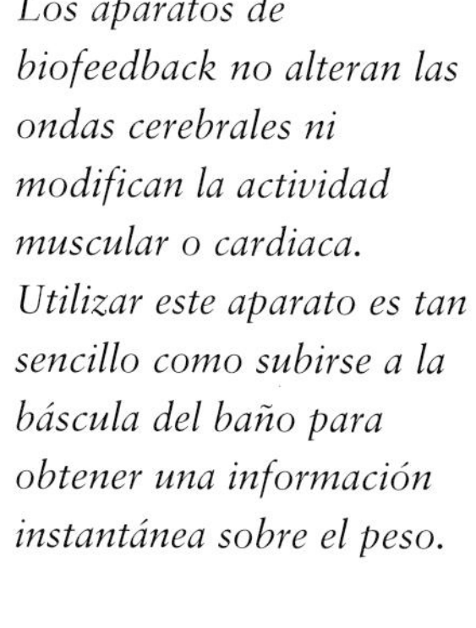

Los aparatos de biofeedback no alteran las ondas cerebrales ni modifican la actividad muscular o cardiaca. Utilizar este aparato es tan sencillo como subirse a la báscula del baño para obtener una información instantánea sobre el peso.

La danzaterapia

Siempre se ha reconocido el poder beneficioso del movimiento o la danza en personas que no se sienten bien, física o emocionalmente.

Los artríticos pueden beneficiarse enormemente de algún tipo de baile o ejercicio de danza en grupo. El disfrute de la música y el ritmo es uno de los mayores placeres del mundo. La música parece desatar la energía del cuerpo, estimulando, motivando, sustentando y equilibrándolo. La danza ayuda a fortalecer los músculos y las articulaciones, y regula la respiración y la circulación. A nivel social, estimula la formación de parejas. En la acelerada vida actual, resulta demasiado fácil ignorar los beneficios del movimiento creativo y la danza.

Cualquier forma de danzaterapia será un valioso tratamiento tanto para los artríticos como para quienes se sienten indispuestos, algo habitual en muchas personas que sufren artritis crónica.

El movimiento de Medau

Heinrich Medau fue un profesor de música y educación física que, en 1929, fundó su propia escuela de enseñanza y formación, en Berlín. Medau era un exponente entusiasta y experto de la nueva moda del movimiento rítmico como camino para lograr la forma física y que, poco a poco, sustituía a las viejas formas de ejercicio rígido y marcial.

Medau había enseñado y estudiado los movimientos infantiles, sin esfuerzo, económicos, elásticos y "continuos a lo largo del cuerpo" y decidió intentar preservar ese talento natural en la edad adulta. Como profesor de música, Medau era consciente de las respuestas instintivas del individuo al ritmo. Estaba convencido de que "el ritmo es la clave del movimiento correcto".

Desarrolló un movimiento influido por su entusiasmo por volver a la naturaleza, junto con un enfoque menos estricto y rígido de la educación, por el que abogaban maestros como Rudolf Steiner, creador de la terapia del movimiento, o euritmia, Johann Pestalozzi y Maria Montessori. En la danza, Isadora Duncan, con sus ritmos naturales, fue otra gran influencia.

El movimiento de Medau es un sistema de danza formalizado, aunque natural, desarrollado a partir de la estructura del cuerpo, sin imponer ninguna distorsión o rigidez. Las técnicas de este sistema son fuertes, rítmicas y dinámicas, sin repeticiones bruscas ni estiramientos exagerados. El objetivo principal consiste en lograr un cuerpo ágil y fuerte, a gusto y en armonía consigo mismo. Ha sido adaptado para ancianos y también en fisioterapia, cursos de fitness y danza. También forma parte de las terapias sanadoras.

Al asistir a clase por primera vez, es importante explicarle al profesor la naturaleza de su artritis y cuánto se cree capaz de progresar. No se desanime si al principio no le parece avanzar mucho. Si permanece constante, podrá bailar con mayor movilidad y flexibilidad en pocas semanas.

Otras terapias de danza

Una de las terapias complementarias más recientes de este siglo es la danzaterapia, desarrollada a partir de las teorías de

Descubrir más de

Terapias físicas	*116–121*
El ejercicio	*148–151*

La danzaterapia puede ser tan formal, o informal, como cada uno quiera. No hay que ser un experto para disfrutar y beneficiarse del movimiento a ritmo de la música.

Rudolph Laban. La terapia está enfocada hacia la expresión de los sentimientos con vistas a armonizar el cuerpo y la mente a través del poder del movimiento.

Es difícil que una clase se parezca a otra, y ahí radica el mayor disfrute de la danzaterapia. Se fomenta la expresión de la individualidad, de la necesidad del cuerpo de soltarse y recuperar movilidad, y de la necesidad humana de responder a la música. La necesidad de contacto físico alcanza en la danzaterapia un profundo efecto terapéutico.

Otros tipos de danza pueden resultar igualmente adecuados para personas que sufren artritis. Está incluido el jazz y la danza aeróbica, dos ejemplos disponibles en casi todos los centros de mayores. El baile de salón también puede resultar beneficioso. Además, es una buena oportunidad para aprender a bailar.

La cromoterapia

Según los cromoterapeutas, el color no sólo afecta a nuestro estado de ánimo y sentimientos, sino a nuestra salud y bienestar. Es bien sabido que el color de una habitación puede influir en nuestro humor, por lo que no sería sorprendente que el color ejerciera algún impacto sobre nuestro sistema inmunológico, muy sensible a las emociones, y, por tanto, sobre nuestra salud.

Los cromoterapeutas utilizan a veces una linterna, en la que la luz atraviesa unos filtros de cristales tintados, que dirigen sobre chakras específicos del cuerpo.

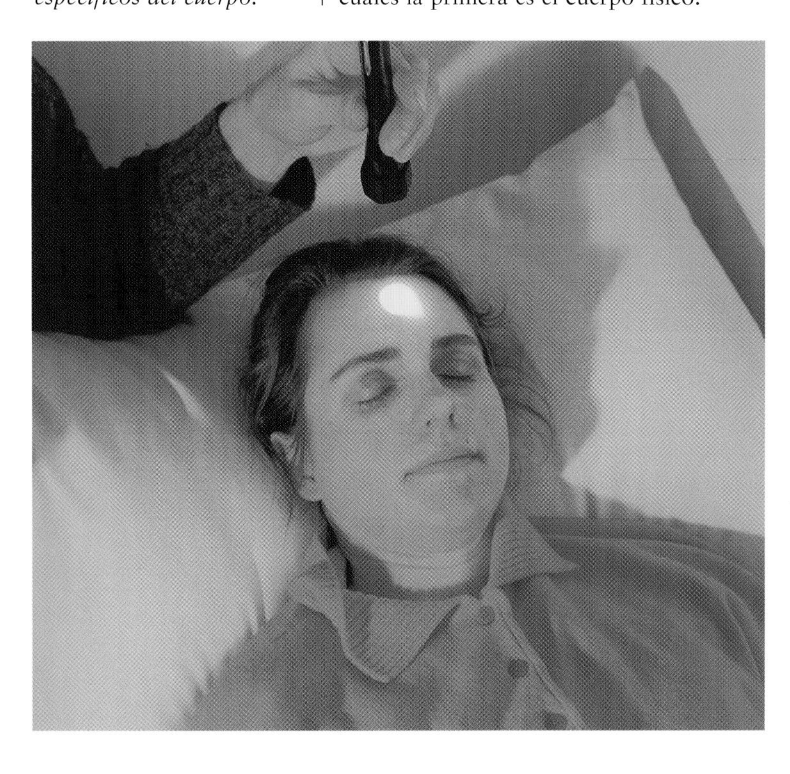

La teoría de la cromoterapia sugiere que el cuerpo absorbe color en la forma de los componentes electromagnéticos de la luz y luego produce su propia aura de electromagnetismo. Esta aura emite una serie de vibraciones que puede percibir un cromoterapeuta cualificado. Un cuerpo sano emite un patrón de vibración equilibrado, y uno enfermo produce uno desequilibrado. El objetivo del cromoterapeuta es administrar el color, o colores, que le falta al enfermo para devolver un patrón equilibrado al aura.

El aura humana es de forma ovoide y está constituida por siete capas, de las cuales la primera es el cuerpo físico.

Estas siete capas se mezclan y producen colores constantemente cambiantes. Estos cambios dependen de nuestro estado de salud y ánimo. Así, cuando nos enfadamos, nuestra aura se vuelve de color rojo sucio, y cuando sentimos envidia, se vuelve verde oscura.

La enfermedad se manifiesta en el aura como una masa gris de energía acumulada. Si no se soluciona, continuará manifestándose y se convertirá en un síntoma físico. Una vez alcanzada esta etapa, el cromoterapeuta tendrá que dispersar esa masa de energía estancada mediante la reintroducción de la frecuencia cromática, tanto en el cuerpo físico como en el aura.

Los cromoterapeutas consideran su terapia como un complemento de la medicina ortodoxa, pero algunos logran un éxito notable en el tratamiento de la artritis. Los colores más utilizados son el rojo, naranja, oro, amarillo, verde, azul turquesa, índigo, violeta y magenta. La cromoterapia puede administrarse a través de un instrumento que usa filtros de cristales tintados, o a través del contacto. En la curación por contacto, el cuerpo del terapeuta se convierte en el instrumento a través del cual el color es canalizado hasta el paciente.

Prana

Las terapias tradicionales practicadas en la India y Sri Lanka se basan en la idea del *prana*, literalmente aliento, pero que significa energía vital. *Prana* es equivalente al *qi* en China y al *ki* en Japón. La función más importante del cuerpo humano es la transferencia de prana o energía vital. Prana es absorbida por el cuerpo de diversas maneras, entre otras, a través de la respiración y de lo que comemos.

Prana vitaliza la capa etérica del aura que rodea y penetra en el cuerpo físico. La etérica es la huella de identidad del cuerpo físico y contiene los chakras mayores y menores, así como los nadis. El término "chakra" es sánscrito y significa rueda o vórtice de energía. Los nadis son los caminos energéticos que unen los chakras por todo el cuerpo.

Cinco de los chakras mayores se sitúan en línea con la columna, el sexto con el entrecejo y el séptimo justo por encima de la coronilla. Prana es absorbido a través del chakra esplénico y luego se refracta en los colores del espectro, que son a continuación transferidos hacia el chakra mayor adecuado. Cada uno de los chakras mayores contiene todo el espectro de colores, pero con uno dominante sobre los demás. Aparte de asociarse a diversas partes del cuerpo físico, cada chakra está ligado a una de las glándulas endocrinas, y de ahí su importancia en el tratamiento. Los nadis están ligados al sistema nervioso y son los canales de energía a través de los cuales fluye prana.

En un día soleado hay gran abundancia de prana en la atmósfera, y por eso nos sentimos llenos de energía. En un día nublado de invierno, prana sufre una considerable reducción.

La consulta

El cromoterapeuta realizará un detallado historial médico y le preguntará por su artritis, estilo de vida, dieta y ejercicio.

La primera parte del tratamiento implica la elaboración de un gráfico cromático de la columna (*véase* más abajo). El terapeuta también puede trabajar con cristales de diferentes colores y con agua coloreada.

El cromoterapeuta sentirá y trabajará el aura para dispersar cualquier bloqueo de energía. Después, colocará sus manos sobre el cuerpo para canalizar los colores adecuados hacia su interior.

En casa

Una vez sepa qué colores son los mejores para su caso, podrá continuar la terapia en casa, llevando ropa, o un trozo de tela de seda o algodón, de ese color. Las fibras deben ser naturales porque las sintéticas restringen el aura. También puede decorar el hogar con esos colores. Las piedras preciosas también se utilizan en cromoterapia.

GRÁFICO CROMÁTICO

La columna se divide en cuatro secciones de ocho vértebras cada una. Cada sección se relaciona con un aspecto de la salud: la primera, con la salud mental; la segunda, con la emocional; la tercera, con el metabolismo, y la cuarta, con la salud física. En cada sección, cada vértebra señala un color del espectro. El gráfico se usa para determinar el mejor color, y el estado de salud en general.

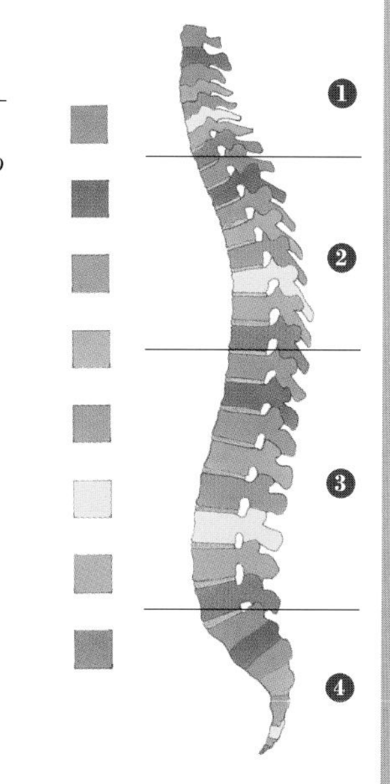

Descubrir más de
Yoga 44–47
Elegir un especialista 106–107

Consejo psicológico y psicoterapia

No hay duda sobre los beneficios del consejo psicológico. De hecho, se ofrece a cualquiera que haya experimentado un suceso traumático o que se enfrente a una enfermedad incurable.

Los terapeutas complementarios admiten que, para lograr la curación, hay que tratar la mente además del cuerpo. Poder hablar con alguien de confianza, como un buen amigo, es el primer paso para sentirse mejor.

El consejo psicológico y la psicoterapia no son una respuesta alternativa al tratamiento de la artritis, sino un apoyo complementario. En realidad, la inmensa mayoría —si no la totalidad— de los facultativos convencionales reconocen el poder de la mente sobre el cuerpo, y aprueban la decisión de acudir a alguna forma de terapia para poder hacer frente a una enfermedad crónica grave.

La unión cuerpo-mente

Hoy día no hay duda sobre la fuerte conexión entre el cuerpo y la mente. La psiconeuroinmunología ha demostrado que el sistema inmunológico y otras partes del cuerpo responden a los pensamientos positivos y negativos. Las investigaciones demuestran que el estrés afecta negativamente al sistema inmunológico, sobre todo en caso de crisis graves, como un duelo o un divorcio, y que el estrés produce cambios químicos en el organismo. Estos cambios pueden ser medidos científicamente. También se sabe que las técnicas psicoterapéuticas pueden fortalecer el sistema inmunológico y ayudar a prevenir la enfermedad.

Todas las terapias contempladas aquí destacan el efecto de la mente sobre el cuerpo. Algunos terapeutas sostienen que todo el mundo posee la capacidad para conseguir una buena salud, libre de enfermedades. Sin embargo, un estilo de vida insano, un ambiente sombrío y las emociones y pensamientos negativas contribuyen a la enfermedad.

Esta teoría también funciona al revés. Declarada la artritis, puede afectar a las emociones y estados de ánimo. El dolor constante es agotador y estresante. El estrés prolongado produce depresión, y otros estados psicológicos, que pueden aliviarse con ayuda profesional.

Las clínicas de dolor y los programas para aliviar el dolor crónico incluyen un componente psicológico porque el bienestar emocional afecta al modo de contemplar y de hacer frente al dolor. La psicoterapia es, esencialmente, una "conversación curativa" y puede dividirse en tres tipos:

- psicoterapia de apoyo
- psicoterapia exploratoria
- psicoterapia especializada.

La psicoterapia de apoyo

Se trata de la forma más sencilla y menos intrusiva de psicoterapia. El paciente se limita a hablar sobre sus problemas en un ambiente de confianza y confidencialidad. Esto es fundamental en una terapia complementaria y en la consulta médica, sea la enfermedad aguda o crónica, curable o incurable.

La psicoterapia exploratoria

Al paciente se lo anima para que analice el problema en lugar de limitarse a exponerlo. El terapeuta interviene activamente para señalar las contradicciones, evasivas y aspectos desatendidos de un problema. Si se hace con diplomacia, la psicoterapia exploratoria puede ser un instrumento poderoso y positivo para cambiar nuestra percepción y los métodos para hacer frente al dolor de la artritis.

Antes de iniciar la psicoterapia exploratoria, hay que establecer un plan. Hay que discutir con el terapeuta las metas que se desea alcanzar, y el número y longitud de las sesiones necesarias a tal efecto.

Psicoterapia especializada

La psicoterapia del comportamiento, la terapia cognitiva, el psicoanálisis, la gestalt, el psicodrama (terapia del drama) y otras muchas terapias menos conocidas son psicoterapias especializadas. La psicoterapia más adecuada para los artríticos es la terapia cognitiva, capaz de rebatir hábitos y pensamientos negativos, resolver problemas y ayudar a pensar más positivamente. Es uno de los instrumentos más poderosos para luchar contra el dolor crónico y para hacer frente a la incapacidad y la inmovilidad.

La terapia cognitiva fue creada por el psiquiatra norteamericano Aaron Beck hace casi 30 años. Su objeto es utilizar el pensamiento positivo para alterar las percepciones, recuerdos y pensamientos del paciente sobre sí mismo, para ayudarlo a enfrentarse mejor a su vida.

El pensamiento positivo implica, esencialmente, centrarse en las cosas buenas de la vida y prestar la menor atención posible a las malas. Ésta es la base de la técnica de las afirmaciones utilizadas en muchas terapias psicológicas. No importa cuál sea la afirmación, siempre que sea positiva. El pensamiento positivo está especialmente diseñado para aumentar la autoestima y, por tanto, el estado general de salud.

El psicoterapeuta le pedirá que recuerde cada mañana:

• Estoy vivo y puedo disfrutar de la vida.
• Disfruto con... (cada paciente elige la afirmación).
• Disfruto con la compañía de... (el paciente elige a un familiar o amigo).
• Disfruto contemplando... (fotos, películas, televisión, etc.).
• Hoy me apetece...

Deberá elaborar una lista con las cosas positivas de su vida y repasarla cada mañana y cada vez que sienta un ataque de dolor. Procure no centrarse en el dolor, sino en lo positivo.

Cómo hallar un psicoterapeuta

Se puede encontrar un psicoterapeuta a través del facultativo, o por recomendación de algún amigo. Una vez elegido uno, compruebe sus credenciales en el colegio profesional.

Descubrir más de

Controlar el dolor 138–141
Elegir un especialista 106–107

OTRAS TERAPIAS PSICOLÓGICAS

Si cree que la mente juega un papel fundamental en la curación del cuerpo, debería probar también:

• *La aromaterapia (pág. 50)*
• *La meditación (pág. 54)*
• *La visualización (pág. 56)*
• *La relajación (pág. 58)*
• *La autohipnosis (pág. 60)*
• *El biofeedback (pág. 99)*

Elegir un especialista

Encontrar al terapeuta complementario adecuado es un paso importante. Merece la pena realizar una exhaustiva labor de investigación previa, y percibir desde el primer momento si ha conectado con el terapeuta elegido.

Merece la pena informarse bien sobre un terapeuta antes de comprometerse a un costoso tratamiento.

Los médicos y dentistas convencionales deben estar colegiados para ejercer. Los colegios profesionales son los responsables de la normativa reguladora y de la disciplina dentro de cada profesión. Aunque los osteópatas y los quiroprácticos están sometidos a regulación, con las demás terapias no sucede siempre lo mismo. Es importante, sobre todo cuando la enfermedad es crónica o grave, como en el caso de la artritis, que compruebe las credenciales, formación y experiencia del terapeuta elegido en el colegio profesional. Los títulos colgados de la pared no significan gran cosa en la práctica. Si no se siente a gusto con el terapeuta, busque otro.

Muchos hospitales y centros de salud disponen de terapeutas complementarios. Antes de acudir a un terapeuta desconocido, pregunte a su médico. Algunos profesionales de la salud practican ellos mismos terapias complementarias: un médico general puede prescribir homeopatía, las enfermeras pueden aplicar aromaterapia y el fisioterapeuta, acupuntura.

El terapeuta deberá estar formado en artritis. A veces puede ayudar el que el propio especialista haya tenido alguna experiencia personal con la enfermedad. De hecho, muchos terapeutas complementarios se han formado en una determinada disciplina tras haber encontrado en ella alivio para su problema. Esto ofrece una mayor credibilidad al tratamiento que ofrecen.

Conocer al terapeuta

Los tratamientos ofrecidos por un terapeuta complementario pueden actuar de manera muy sutil, por lo que es importante que se sienta en armonía con él, y que él, a su vez, sienta empatía hacia su problema. Las investigaciones sugieren que el terapeuta puede ser tan importante como la propia terapia. Si no siente una inmediata afinidad con su terapeuta, lo mejor es que busque ayuda en otra parte.

Antes de iniciar un costoso y largo tratamiento, confirme que el terapeuta esté dispuesto a colaborar con el médico convencional y averigüe si el tratamiento está financiado por algún seguro médico. Cada vez hay más terapias cubiertas por los seguros, sobre todo aquellas recomendadas por los médicos. Terapias como acupuntura, osteopatía, homeopatía y la técnica Alexander son aceptadas por los médicos convencionales y están disponibles en muchos casos. Debería insistir en conocer aproximadamente el número de sesiones que necesitará y cuánto le va a costar. Solicite información precisa de cómo le va a beneficiar el tratamiento recibido.

La consulta del terapeuta no debería ser lujosa —si lo es, debería estar prevenido, ya que eso podría significar que está cobrando demasiado dinero a sus pacientes— pero sí debería estar limpia y aseada. Si no le gusta el aspecto de la consulta, no pida cita para una sesión. Desconfíe siempre de los métodos agresivos de "venta", o de los intentos de hacerle gastar cantidades adicionales en cosas como suplementos, libros y vídeos.

Una vez iniciado un tratamiento, el terapeuta debería mostrarse puntual, y tan eficiente y práctico como cualquier otro médico. Aunque no debería esperar sentir una mejoría inmediata, sí debería percibir algunos progresos gracias al tratamiento.

La inmensa mayoría de los terapeutas complementarios es honrada y decente, y su objetivo es restablecer la salud de los pacientes. Naturalmente, también se entusiasman con el tratamiento que ofrecen. Sin embargo, la artritis, hoy por hoy, es incurable y siempre puede recurrir. No existe una cura milagrosa, de modo que nunca pida cita con un terapeuta que afirme ser capaz de eliminar la artritis para siempre.

Descubrir más de

La elección de una terapia 42–43
Recursos útiles 155

PREGUNTAS IMPRESCINDIBLES

Antes de decidirse por un terapeuta, póngase en contacto con la escuela de formación o colegio profesional correspondiente para averiguar todo lo que pueda sobre sus credenciales. Algunas terapias tienen más de un colegio profesional, y a veces uno puede ser menos estricto que otro en la normas. Ante la duda, busque el tratamiento en otra parte. Al ponerse en contacto por primera vez con un terapeuta, debe hacerle las siguientes preguntas antes de decidirse por él:

- *¿Qué títulos posee y dónde los obtuvo?*
- *¿Está colegiado? (Desconfíe si no lo está)*
- *Si para su profesión no existe ningún colegio profesional, ¿cómo se regula su actividad? (Por ejemplo, que el terapeuta ejerza su profesión en una clínica respetable).*
- *¿Cuánto tiempo lleva ejerciendo? ¿Está puesto al día en los avances y conocimientos surgidos desde que se graduó?*
- *¿Qué sabe sobre mi tipo de artritis?*
- *¿Ha tratado anteriormente, y con éxito, a algún paciente de artritis? ¿Podría ponerme en contacto con alguno de ellos?*
- *¿Cree que podrá mejorar significativamente mi estado? De ser así, ¿cuánto durará el tratamiento y cuánto me va a costar?*

3

TRATAMIENTOS CONVENCIONALES

Hay que dejar claro que la artritis es incurable. Sin embargo, con tantas opciones disponibles, no hay necesidad de sufrir dolor. Entre los tratamientos convencionales para la artritis se encuentra la medicación, la pérdida de peso, el ejercicio, las electroestimulación (como TENS), la terapia ocupacional, y la opción quirúrgica. Durante los próximos años, sin duda aparecerán nuevos tratamientos.

En algunos casos, la cirugía es la única opción. Sin embargo nada es comparable a la felicidad de pasar de la inmovilidad a poder caminar sin ayuda, por ejemplo, gracias a una prótesis de cadera.

Los medicamentos

Pese a la innegable popularidad creciente de los remedios alternativos, la artritis se trata muy a menudo con medicamentos. Para quien tome medicamentos para controlar un problema de artritis, es esencial conocer la diferencia entre los distintos tipos de medicamentos y los efectos que producen.

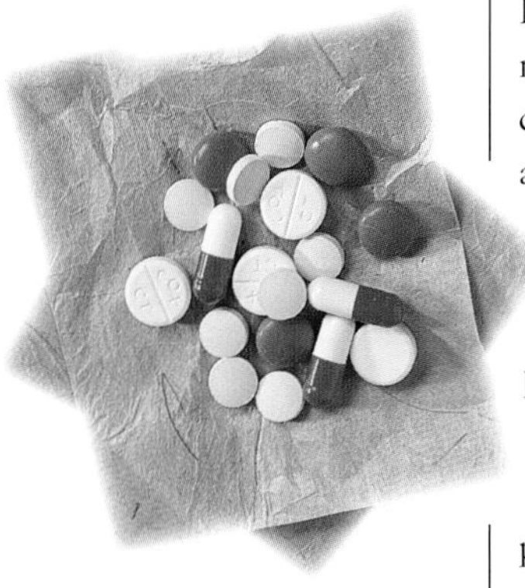

Hay una gran variedad de analgésicos, lo que puede crear confusión. Además, puede que haga falta tomar una mezcla de fármacos. Sólo debe tomarse aquello que haya recomendado el médico. Si se toma el medicamento equivocado, el problema podría empeorar en lugar de mejorar.

Existe una gran variedad de medicamentos, con o sin receta, para combatir el dolor y los síntomas de la artritis. Se dividen básicamente en tres categorías: los que reducen el dolor, los que reducen la inflamación y el dolor, y los que reducen la actividad de la enfermedad y tratan la inflamación. Para tratar el problema habrá que tomar una mezcla de fármacos, o someterse a pruebas para asegurar la eficacia del tratamiento. Hay que prestar especial atención a cualquier efecto secundario asociado a un medicamento.

Analgésicos

Los analgésicos, o calmantes, alivian el dolor al interferir en los mensajes transmitidos al cerebro a través de la red de fibras nerviosas del organismo. Hay dos grupos principales de analgésicos: analgésicos sencillos, como la aspirina, y analgésicos narcóticos, como la codeína y la morfina. La mayoría de los que se adquieren sin receta son del tipo sencillo. Algunos, como el ibuprofeno, son de hecho antiinflamatorios no esteroideos (AINES). Muchos analgésicos consisten en aspirina combinada con otros fármacos no narcóticos, como la cafeína, o con alguno suavemente narcótico, como la codeína, para producir un analgésico "combinado".

Hay que tener cuidado con mezclar analgésicos. Al ingerir dos analgésicos distintos se puede superar la dosis máxima para alguno de los ingredientes. Es mejor evitar el alcohol si se toman analgésicos y, si el tratamiento es prolongado, debería ser supervisado por un médico. Los analgésicos enmascaran el dolor y hay que evitar forzar una articulación mientras los tomamos.

ARTRITIS INFLAMATORIA. EL TRATAMIENTO INMEDIATO

Recientemente hubo un debate sobre si un tratamiento agresivo temprano suponía alguna diferencia en la evolución de la artritis inflamatoria, incluyendo la artritis reumática. El tratamiento clásico se basaba en fármacos de primera y segunda línea. Empezaba con AINES y continuaba con FAMES, como oro, sufasalazina y metotrexato. La mayoría de los reumatólogos están convencidos actualmente de que un diagnóstico preciso y una intervención adecuada con medicamentos y fisioterapia en las etapas iniciales de la enfermedad es crucial, porque cuanto más tiempo dure la inflamación, más daños causará. Esto significa que los pacientes actualmente tienden a recibir uno o más fármacos FAME desde el principio. Los médicos argumentan que, una vez suprimida la inflamación, los pacientes no sufrirán deterioro y deberían mejorar. Al parecer, los pacientes sufren menos efectos secundarios por culpa de estos medicamentos si los toman desde el principio.

AINES

Los antiinflamatorios no esteroideos reducen la inflamación y el dolor. Su función principal es la reducción de la inflamación en el revestimiento de las articulaciones y, al reducir la hinchazón, reducen el dolor y la rigidez. Si no hay inflamación, como sucede a menudo con la osteoartritis, los AINES no presentan ninguna ventaja sobre otros analgésicos. Se utilizan para muchos tipos diferentes de artritis, a menudo con otros fármacos porque alivian los síntomas, aunque no modifiquen el curso de la enfermedad. Los AINES pueden producir efectos secundarios, y es mejor tomarlos con leche o comida.

FAMES

Los FAMES (fármacos antirreumáticos modificadores de la enfermedad) juegan un papel fundamental en el tratamiento de la artritis reumatoide. También pueden utilizarse en otros tipos de reuma, como la espondilitis anquilosante o la artritis asociada a la psoriasis. Suavizan la enfermedad y la inflamación, con lo que reducen el dolor, la hinchazón y la rigidez articular, y a veces son más eficaces que los antiinflamatorios, pero sus efectos secundarios pueden ser más dañinos que los de los AINES.

Los FAMES tienden a ser de acción lenta y pueden hacer falta semanas, o meses, para que los beneficios se aprecien plenamente. Al no ser analgésicos, puede hacer falta combinarlos con calmantes o medicamentos antiinflamatorios.

Esteroides

Los corticosteroides, o esteroides, son hormonas. Algunos son producidos naturalmente por el organismo mientras que otros son sintéticos. Los utilizados en el tratamiento de la artritis derivan, o son variantes sintéticas, de las hormonas corticosteroides producidas en la parte externa de las glándulas adrenales.

Cuando están presentes en grandes cantidades, los corticosteroides reducen la inflamación y suprimen las respuestas inmunes, y por eso se emplean en pacientes con artritis reumatoide y otros tipos de enfermedades reumáticas.

Descubrir más de

La osteoartritis 16–19
La artritis reumatoide 20–23
Los medicamentos 112–115

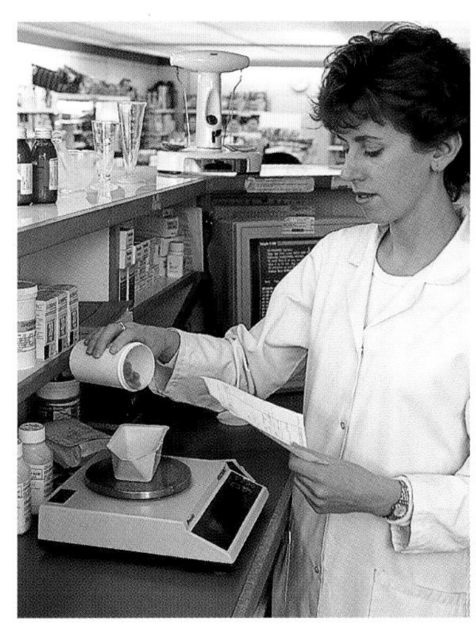

Siempre debe informar al médico y al farmacéutico de cualquier medicamento que esté tomando, con o sin receta. Ellos le ofrecerán consejos sobre qué fármacos son los más adecuados para su dolencia.

LA OSTEOARTRITIS Y LA TERAPIA GENÉTICA

Se solía pensar que la osteoartritis era una parte inevitable del proceso de envejecimiento, debido al desgaste. Sin embargo, investigaciones llevadas a cabo en el Reino Unido demuestran que existe todo un proceso en la enfermedad y, si existe una causa, puede que exista un remedio. Paul Dieppe, profesor de reumatología de la Universidad de Bristol, define la osteoartritis como un fallo en las articulaciones. Como en el caso del fallo cardiaco, distintos factores pueden aunarse para provocar la ruptura de las articulaciones, por ejemplo, la manera de caminar, el peso, lesiones y hábitos de trabajo. La pregunta es ¿por qué unas personas expuestas a estos factores lo sufren y otras no? Una investigación realizada en el Hospital Thomas, de Londres, demuestra que el factor genético también es importante. Hoy se intenta encontrar el gen o genes responsables, para poder desarrollar nuevos métodos de diagnóstico y tratamiento temprano.

Los medicamentos

FÁRMACOS UTILIZADOS PARA TRATAR EL DOLOR

TIPO DE FÁRMACO	NOMBRE	ACCIÓN Y EFECTOS SECUNDARIOS
ANALGÉSICO SENCILLO	**Aspirina**	Alivia el dolor en músculos, ligamentos y articulaciones, sobre todo el asociado a inflamación. Se puede tomar en píldora o, más efectivo, disuelta en agua. Puede irritar el estómago y, a largo plazo, provocar úlcera de estómago.
	Paracetamol	Eficaz analgésico, pero que no alivia la inflamación. Se prefiere en caso de osteoartritis porque produce menos efectos secundarios que la aspirina o los AINES. La sobredosis puede provocar lesión grave de hígado y riñones.
ANALGÉSICO COMPUESTO	**Benoral**	Compuesto de aspirina y paracetamol que libera una cantidad regular de ambos al torrente sanguíneo. Eficaz analgésico que también alivia la inflamación, de gran utilidad en caso de artritis. Los efectos secundarios son los de la aspirina y el paracetamol.
ANALGÉSICO NARCÓTICO	**Morfina** **Dihidrocodeína** **Co-proxamol (Distalgesic)** **Diamorfina**	No se utiliza en procesos reumáticos prolongados, pero puede prescribirse para dolor moderado o intenso. Los efectos secundarios son náuseas, vómitos, somnolencia, estreñimiento y, en ocasiones, dificultad al respirar. Algunos son muy fuertes y su uso a largo plazo puede provocar tolerancia y dependencia.

FÁRMACOS UTILIZADOS PARA TRATAR EL DOLOR

TIPO DE FÁRMACOS	NOMBRE	ACCIÓN Y EFECTOS SECUNDARIOS
AINE (fármaco antiinflamatorio no esteroide)	**Indometacina (Indocid)** **Naproxeno (Naprosyn)** **Ibuprofeno (Brufen/Nurofen)** **Fenbufeno (Lederfen)** **Piroxicam (Feldene)** **Diclofenac (Voltarol)**	Reducen la inflamación en el revestimiento de las articulaciones, y por tanto la hinchazón, y alivian el dolor y la rigidez. Si no hay inflamación, como a menudo en la osteoartritis, los AINES pueden no ofrecen ninguna ventaja sobre los analgésicos. A menudo se utilizan en caso de artritis junto con otros fármacos, ya que alivian los síntomas, aunque no modifican el curso de la enfermedad. Los AINES suelen tomarse vía oral, aunque muchos están disponibles en suspensión líquida o supositorios. Una preparación de liberación lenta ayuda a menudo a aliviar la rigidez articular de las mañanas. Algunos también se presentan en forma de gel. Los efectos secundarios incluyen problemas gastrointestinales, como úlcera, náuseas, y molestias de estómago e intestino, ardor de estómago e indigestión, o reacciones alérgicas como erupciones y sibilancias, retención de líquidos y, rara vez, lesión renal o problemas sanguíneos. Para minimizar los efectos secundarios, los AINES deben tomarse con o después de la comida, y con algún líquido. Hay que evitar el consumo de alcohol y cafeína, y no fumar.
	Meloxicam (Mobic)	Se trata de un nuevo tipo de AINE, más enfocado hacia el tejido inflamado, que afecta menos al estómago y el intestino. Puede ser una buena elección para personas con problemas de estómago y que necesiten un AINE.

Los medicamentos

FÁRMACOS UTILIZADOS PARA TRATAR EL DOLOR

TIPO DE FÁRMACO	NOMBRE	ACCIÓN Y EFECTOS SECUNDARIOS
ESTEROIDES	**Hidrocortisona** **Prednisolona** **Triamcinolona** **Metilprednisolona**	Los esteroides son la versión sintética de las hormonas producidas naturalmente en las glándulas adrenales. Los corticosteroides reducen la inflamación y suprimen la respuesta inmune. Los esteroides pueden administrarse en pastillas o mediante inyección en la articulación inflamada, y alivian en caso de un brote repentino. Los efectos secundarios de la inyección incluyen un foco de dolor articular durante las 24 horas posteriores al pinchazo, infección de la articulación tras la inyección y reducción del grosor de la piel en el punto de inyección en caso de pinchazos periarticulares. Los efectos secundarios de los esteroides orales incluyen gases, calambres, aumento de peso, rostro redondeado, estrías o pérdida del grosor de la piel, cataratas, hipertensión, insomnio y osteoporosis. Dado que el organismo se vuelve dependiente de los esteroides orales, hay que dejar de tomarlos gradualmente.

FÁRMACOS UTILIZADOS PARA TRATAR EL DOLOR

TIPO DE FÁRMACO	NOMBRE	ACCIÓN Y EFECTOS SECUNDARIOS
FAMES (fármacos antirreumáticos modificadores de la enfermedad), también conocidos como terapia antirreumática reguladora de la enfermedad.		Suprimen el proceso de la enfermedad y alivian síntomas como la inflamación.
	Netotrexate	Inmunosupresor originalmente empleado para tratar el cáncer. Es eficaz y cada vez más usado contra la artritis reumatoide. Se administra por vía oral y también por inyección. Los efectos secundarios incluyen náuseas y diarrea, alteraciones sanguíneas y daño hepático. Hay que hacer controles regularmente, sobre todo al inicio del tratamiento.
	Sulfasalacinas	Combinación de antibiótico y aspirina utilizada para suprimir la inflamación reumática. Puede provocar sarpullido, problemas gastrointestinales y de la sangre, y puede manchar las lentillas.
	Oro **Auriotiomalato sódico (Miocrisina)** **Auranofina**	El oro se administra por vía oral o por inyección. Se fija la dosis mediante inyecciones de prueba inicial, y luego una semanal. Por vía oral es menos eficaz y puede retardar los resultados. Los efectos secundarios incluyen problemas de sangre, riñón y piel, sarpullido, úlceras bucales, garganta irritada, fiebre, moratones, ahogo y diarrea.
	Penicilamina	Se administra por vía oral, media hora antes de comer. Puede alterar el gusto durante unas semanas. Los efectos secundarios son los del apartado anterior.
	Antimaláricos **Hidroxicloroquina** **Cloroquina**	Son eficaces en caso de artritis reumatoide y lupus eritematoso sistémico. Los efectos secundarios son raros; el más grave es la lesión de la retina.

Terapias físicas

Existen muchas maneras de controlar algunos de los factores que pueden afectar a la artritis. La pérdida de peso puede ejercer un gran impacto en la gravedad de los síntomas.

El ser humano está diseñado para ser delgado, no fofo, y la epidemia occidental de la obesidad está provocando un aumento de enfermedades como la artritis.

Se puede reforzar la dieta equilibrada para perder peso con un diario en el que anote todo lo que come. Una vez alcanzado el peso ideal, deberá proseguir con la rutina para conservarlo.

El sobrepeso es un conocido factor de riesgo en la artritis. Cualquier sistema de suspensión se desgasta con más rapidez si soporta un exceso de peso. El sobrepeso somete a las articulaciones a un esfuerzo antinatural. Los tendones y ligamentos llegan a estar separados por capas de grasa, que distorsionan su unión con los huesos. Las personas gruesas suelen ser menos activas que las delgadas, y eso también ejerce un efecto negativo sobre la artritis. El ejercicio moderado y regular ayuda en caso de artritis.

Mantener el peso bajo control produce varias ventajas para los artríticos. Aligera la carga de las articulaciones, sobre todo de las caderas y rodillas, y en los espacios intervertebrales de la columna. También puede hacernos sentir más jóvenes. Mantener el peso controlado supone un estímulo psicológico para los artríticos, además de mejorar su salud.

¿Tiene sobrepeso?

Un modo de averiguar si tiene sobrepeso es yendo al médico o al hospital, donde suele haber una báscula donde se especifica el peso adecuado para alguien de su estatura y género. Le aconsejarán cuánto debe adelgazar y en cuánto tiempo. Otro modo de averiguarlo es a través del cálculo del índice de masa corporal (*véase* más abajo).

Si su peso se sitúa dentro del límite normal, no intente perder peso como medio para combatir o evitar la artritis. Puede hacerse más mal que bien.

Cuánto peso hay que perder

Es importante no intentar perder mucho peso en poco tiempo. Se ha demostrado que a una rápida pérdida de peso le sigue casi siempre una ganancia, a veces superior a la pérdida conseguida. Las dietas de choque, o muy estrictas, son inútiles. La dieta debería ser equilibrada y recomendada, o aprobada, por el médico o la enfermera especializada.

Una persona con sobrepeso puede perder kilos rápidamente al principio, pero tras esa primera fase, un mes o dos después, el ritmo aconsejable de pérdida de peso es de 0,5 a 1 kilo por semana. Las personas más jóvenes y las más altas suelen llegar al límite superior. Las personas más mayores y más bajas puede que tengan que contentarse con un ritmo de pérdida cercano al límite inferior. Es buena idea realizar un gráfico que sirva tanto de motivación como de recordatorio de las pérdidas de peso, o reducción del IMC, cada semana. Los grupos de apoyo también pueden ser de ayuda.

El control del peso requiere disciplina. Una vez logrado el objetivo, hay que seguir controlando la dieta. La pareja, la familia y los amigos pueden ayudar con sus comentarios de ánimo. A la mayoría de las personas les gusta que les alaben su buen aspecto, y también el esfuerzo y la disciplina por mantener la dieta.

El ayuno

Algunos terapeutas complementarios indican el ayuno para tratar la artritis, a fin de desintoxicar el organismo y eliminar los productos de desecho acumulados. El ayuno no debería durar más de tres días salvo que esté vigilado por un médico. Es esencial beber un vaso de agua cada hora. No se ha demostrado que el ayuno sea beneficioso para el tratamiento de la artritis.

Descubrir más de

Causas de la artritis 37
La dieta 142–147
El ejercicio 148–151

ÍNDICE DE MASA CORPORAL

El IMC, o índice de masa corporal, es una manera de expresar el peso de una persona en relación con su estatura. Actualmente este índice está sustituyendo a las tablas convencionales de peso y altura, y se considera que es un indicador más fiable del peso ideal. Se obtiene al dividir el peso de una persona, en kilogramos, por el cuadrado de su altura, en metros. Por ejemplo, si pesa 60 kg y mide 1,60 m, la ecuación para calcular el índice de masa corporal es la siguiente: 1,6 × 1,6 = 2,6; y 60 ÷ 2,6 = 23,1.

Un peso sano es aquel en el que el índice de masa corporal, IMC, se sitúa por debajo de 25. Cuando llega a 25, la persona estará en el límite superior del peso deseable. Un índice de masa corporal entre 18 y 25 no indica ninguna relación entre gordura y mortalidad. Sin embargo, por encima de 25, la tasa de mortalidad aumenta de forma paulatina hasta llegar a 35, índice en que el riesgo de mortalidad es el doble del de una persona cuyo índice de masa corporal sea de 25.

La fisioterapia y el ejercicio

La fisioterapia se utiliza mucho para tratar la rigidez articular, uno de los principales síntomas de la artritis. Realizada cuidadosamente y con consejo profesional, puede ser muy útil para quienes sufren artritis reumatoide y osteoartritis.

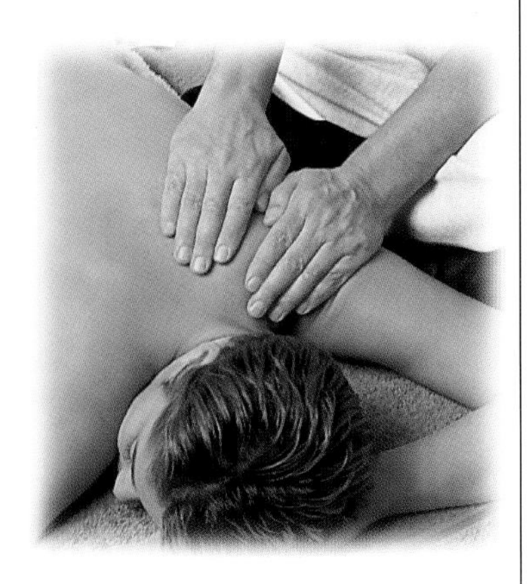

Un fisioterapeuta cualificado puede aliviar el dolor asociado a algunos tipos de artritis. Hay que asegurarse de que el tratamiento sea adecuado para el problema, y no excederse.

La fisioterapia beneficia a los músculos debilitados a consecuencia de la prolongada inactividad por culpa de la artritis. Las técnicas empleadas incluyen ejercicio pasivo, en el que el terapeuta mueve la articulación afectada para preservar su movilidad, o ejercicio activo, en el que el artrítico aprende a ejercitar los músculos que más lo necesitan. Hasta cierto punto, lo puede hacer uno mismo; para movilizar las articulaciones por las mañanas, lo mejor es un baño caliente y algo de ejercicio moderado.

La fisioterapia es de utilidad en caso de distensión de ligamentos, para mantener un funcionamiento suave de las articulaciones y prevenir el desarrollo de deformidades. La manipulación también ayuda. El masaje terapéutico también trata los síntomas de la artritis, sobre todo el dolor muscular (págs. 68-73).

La fisioterapia se prescribe a menudo para el dolor lumbar de los artríticos. Si no está indicada, hay que insistir en el descanso, apoyo y ejercicios "normales" controlados.

Las personas gravemente afectadas por la artritis pueden beneficiarse de la fisioterapia, pero seguirán sufriendo movilidad restringida. Para estas personas, existe una gran variedad de ayuda física para que puedan hacer frente a las actividades cotidianas (*véanse* págs. 152-153). La hidroterapia, o ejercicio en el agua, también resulta beneficiosa.

El ejercicio

Hay que insistir en que los artríticos necesitan hacer ejercicio por el mismo motivo que cualquier persona: para mantener la fuerza y el tono muscular, la movilidad de las articulaciones, para conservar un buen equilibrio entre la actividad mental y la física, para conservar en buen estado el corazón y para aumentar los niveles de endorfinas y de este modo minimizar el dolor y mantenerse de buen humor.

Para quienes sufren artritis reumatoide, el ejercicio tiene su pro y su contra. Por un lado, el descanso reduce la inflamación, pero, por otro, el descanso prolongado debilita los músculos, hace que las articulaciones se vuelvan rígidas y los huesos se debiliten. La solución es hacer algo de ejercicio, pero con cuidado.

Normalmente, la osteoartritis es mucho más constante en sus síntomas que la artritis reumatoide. Está, sin duda, asociada al peso corporal, y el control de ese peso es un factor importante en el control del problema (*véanse* págs. 116-117) conjuntamente con el ejercicio regular. Sin embargo, un daño articular provocado en cierto modo por estrés sobre esa articulación, no debería arreglarse con un exceso de ejercicio.

Cada persona debe encontrar su propio ritmo y nivel de ejercicio —lo que puede hacer y lo que no puede hacer— a través de la experiencia y el sentido común. Hay que realizar actividades que mejoren el tono general de los músculos, en lugar de las que aumenten la fuerza muscular. Por ejemplo, caminar, nadar y podar o regar las plantas es mucho más adecuado que hacer pesas, abdominales o cavar.

Es importante realizar un esfuerzo físico y mental, y seguir haciendo ejercicio mesurado aun cuando ello implique un nivel moderado de dolor. El ejercicio debería ser regular y, si es posible, aumentarse gradualmente, siempre y cuando no provoque mucho dolor. El objetivo debería ser tres o cuatro sesiones de 20-30 minutos a la semana. Una cierta autodisciplina, como realizar los ejercicios a la misma hora cada día, impedirá que las articulaciones se vuelvan peligrosamente rígidas.

Cualquiera que sufra reuma en los dedos sabrá que necesita moverlos regularmente, y que eso suele requerir fuerza de voluntad. Habrá días en que los dedos se muevan sin problema, mientras que otros apenas se moverán. El mejor consejo es que las articulaciones afectadas por cualquier forma de artritis se estiren, hasta el límite de una incomodidad moderada, varias veces al día para evitar el desarrollo de una rigidez permanente. La clave está en el esfuerzo sin pasarse.

Si una articulación es entablillada para aliviar los síntomas con la inmovilidad, la férula sólo debería colocarse por la noche para permitir la realización de ejercicio moderado durante el día y así evitar un mayor deterioro muscular.

Descubrir más de

El ejercicio 148–151
La terapia ocupacional 122–123

Muchos profesionales de la salud opinan que caminar durante 30 minutos al día es el mejor ejercicio. Caminar con alguien cuya compañía nos resulte agradable nos animará a hacerlo con regularidad, y lo convertirá en una experiencia agradable en lugar de en una tarea.

La electroestimulación

Existen dos tipos principales de terapia que pueden emplearse para estimular los tejidos de una zona afectada por la artritis. Son la electroestimulación nerviosa transcutánea (TENS) y la terapia por ultrasonidos.

La electroestimulación nerviosa transcutánea, o TENS, se utiliza en todo el mundo para aliviar el dolor crónico, como parte de la estrategia global para el control del mismo. Funciona a través de la estimulación eléctrica de las fibras nerviosas de la piel que contribuyen a bloquear o suprimir los mensajes de dolor al cerebro.

Las unidades TENS, normalmente alimentadas con baterías, son del tamaño de una pequeña radio portátil y controlan la frecuencia y amplitud de la corriente empleada. La corriente pasa a la piel por unos electrodos reutilizables de goma o autoadhesivos. Algunas unidades poseen grandes pomos de control rotatorios, para personas con artritis en las manos.

Los electrodos se colocan sobre la piel, en la zona afectada, y se hace pasar por ellos una corriente, al principio de pequeño voltaje, que aumenta gradualmente hasta que se vuelve claramente dolorosa. El nivel es entonces ajustado justo por debajo de ese punto de dolor. El fisioterapeuta podrá probar con diferentes frecuencias para descubrir la más eficaz en el alivio del dolor. Cada tratamiento puede durar de 20 minutos a 2 horas, y los pacientes pueden necesitar de tres a cinco sesiones para que se les reduzca el dolor.

Un 60 por ciento de los que prueban el tratamiento lo encuentran útil. A algunos el alivio del dolor les dura poco, pero otros se sienten aliviados durante períodos que van de varias horas a días, o incluso semanas.

Las personas que se benefician de TENS suelen adquirir su propio equipo para casa. Sólo debería utilizarse TENS tras consultar con el médico. No debe utilizarse en las primeras etapas del embarazo, ni por personas que lleven marcapasos.

La terapia por ultrasonidos

La terapia por ultrasonidos, una forma eficaz de masaje, se basa en ondas sónicas propulsadas sobre el tejido humano donde provocan unas vibraciones rápidas y suaves, y un ligero calor local. Al atravesar el tejido humano, las ondas de diferente frecuencia son absorbidas por distintos tejidos en el cuerpo humano, por ejemplo, la piel, la grasa, el músculo y el

Las señales de dolor suelen viajar desde el punto de estímulo a través de un nervio periférico hasta la médula espinal, y de ahí al cerebro. Una teoría del funcionamiento de TENS sugiere que disminuye la respuesta a las señales de dolor de determinadas células de la médula, con lo que reduce la percepción de dolor en el cerebro. Otra teoría asocia el efecto analgésico a la liberación de endorfinas, el analgésico natural del cerebro, provocada por los impulsos eléctricos, con lo que se bloquea el dolor.

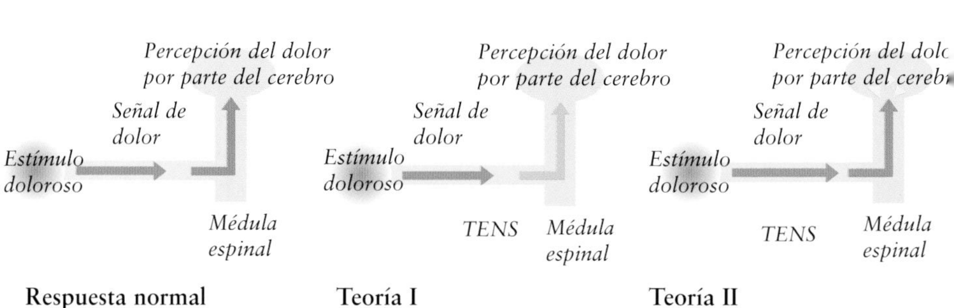

hueso. El que un tejido determinado absorba bien una frecuencia depende de la frecuencia a la que se muevan por naturaleza las moléculas de dicho tejido.

Los dispositivos de masaje por ultrasonidos operan a frecuencias diseñadas para resonar con (es decir, para provocar vibraciones simpáticas en) una gran cantidad de tejidos. Al atravesar los tejidos, las vibraciones de las ondas ultrasónicas provocan de forma alternada la relajación y la contracción de las paredes celulares. Esto estimula el metabolismo y mejora la circulación sanguínea. Las ondas pueden producir efectos terapéuticos sobre los tejidos bajo la superficie del cuerpo, incluidos los afectados por la artritis.

Descubrir más de

El masaje	*68–73*
Los medicamentos	*110–115*
Controlar el dolor	*136–139*

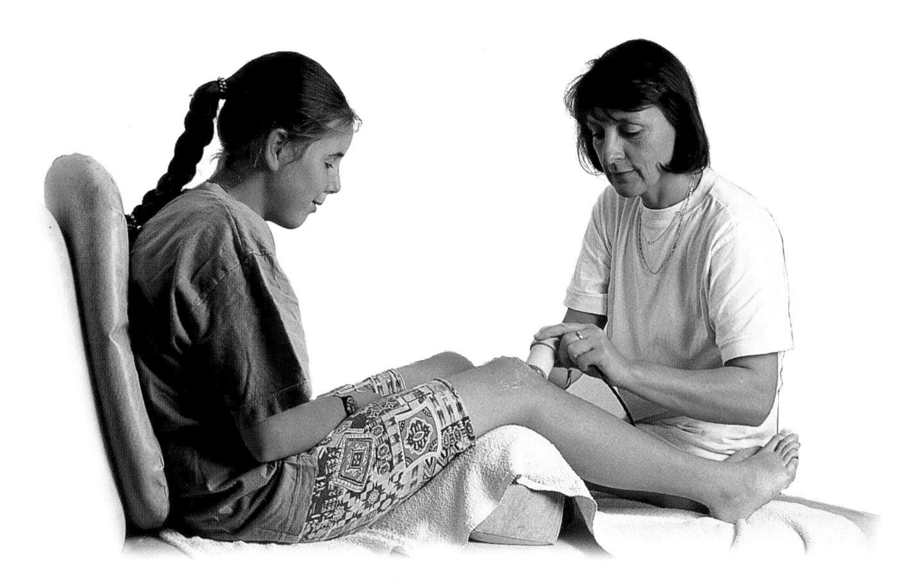

Las articulaciones rígidas pueden relajarse mediante ultrasonidos. Las personas con dolor lumbar y de rodilla afirman sentirse mejor con esta terapia.

CASO CLÍNICO

George, de 60 años, llevaba años con las rodillas rígidas y doloridas, que le hacían difícil ponerse de pie, sentarse y caminar. También tenía un hombro rígido y dolorido y eso le dificultaba, por ejemplo, alcanzar objetos por encima de su cabeza o cambiar las bombillas.

—Mi estado no era lo bastante grave para operar, pero mi vida estaba dolorosamente limitada por mi problema y, mientras encontraba alivio con los medicamentos analgésicos y antiinflamatorios, me producían efectos secundarios como estreñimiento.

Decidí buscar alivio en otro tipo de terapia. Un fisioterapeuta me sugirió la estimulación nerviosa transcutánea para el dolor de hombro y me recomendó una serie de sesiones. Tras las primeras sesiones, el dolor se redujo y el movimiento del hombro mejoró. También me apliqué la terapia de ultrasonidos en la rodilla y experimenté alivio tanto del dolor como de la rigidez.

La terapia ocupacional

Poder llevar una vida normal y conservar la independencia mientras se hace frente a la artritis es esencial para la autoconfianza y la autoestima. Acudir a un terapeuta ocupacional nos permitirá seguir con nuestra vida, aunque con algunas modificaciones fundamentales. Hay que aprovecharse de los consejos que ofrezca y crear un estilo de vida adecuado para cada uno.

Si acude al hospital para recibir tratamiento para la artritis aproveche parte del tiempo para averiguar la mejor manera de hacer frente a cualquier incapacidad que pueda sufrir, y de adaptar ese conocimiento a su vida diaria y su hogar. Esto también le permitirá mantener su vida normal dentro de unos límites. Se puede obtener mucha satisfacción y la sensación de ser el dueño de su propia vida si adapta su casa a su estado.

Además de recibir consejos del fisioterapeuta del hospital, pídale a su médico que le remita a un terapeuta ocupacional. Los terapeutas ocupacionales podrán recomendarle la mejor manera de realizar diversas tareas y algunos trucos de utilidad. Algunas ideas se describen en esta sección y el terapeuta recomendará las que resulten de especial utilidad en su caso.

El terapeuta podrá darle valiosos consejos sobre sus problemas particulares. Lo ayudará con los ejercicios y los brotes recurrentes de dolor. Puede que le aconseje el uso de algún aparato para evitar lesionar las articulaciones débiles, por ejemplo zapatos con alza o muñequeras. El terapeuta también lo ayudará con cualquier problema relacionado con la gestión de su vida en casa. Puede que necesite reorganizar el mobiliario, la colocación de los objetos de uso cotidiano, o trucos para facilitar algunas tareas.

Vestirse

Sus problemas seguramente empiezan al levantarse por la mañana. La ropa que elija puede influir enormemente. Elija prendas que sean sencillas de deslizar para evitar tener que realizar complicadas manipulaciones con los dedos, o tener que agacharse hasta los pies. Por ejemplo, un jersey de cuello abierto será más sencillo de quitar y poner que uno de cuello vuelto.

Los zapatos sin cordones, las cremalleras, los cierres de velcro y los cinturones de gancho le facilitarán la vida. Puede que necesite invertir en utensilios como calzadores de mango largo, o un gancho para ayudarle con los botones pequeños. Deberá evitar ropas que se abrochen por la espalda.

También es importante el lugar donde guarde la ropa. Hay que evitar a toda costa los cajones bajos que lo obliguen a agacharse, así como los obstáculos junto a la cama, el baño, la ducha o la cómoda. La ropa debería guardarse en estanterías abiertas tras una cortina.

La higiene personal

El baño y el aseo pueden ser experiencias dolorosas y difíciles si sufre artritis. Un terapeuta ocupacional puede señalarle los posibles problemas y sugerir soluciones sencillas y eficaces. Los pasamanos en las paredes del cuarto de baño resultan muy útiles, y en el borde de la bañera son esenciales si entrar y salir de ella le causa dolor. Una buena medida de seguridad es una alfombrilla antideslizante en la bañera. Los grifos de palanca son más sencillos de manipular que los de girar. Si tiene problemas con las muñecas y los hombros, en lugar de un cepillo para la espalda, pruebe con una cinta de toalla. Coloque el jabón donde no corra el riesgo de resbalarse con él.

Aunque los dedos no estén más que moderadamente afectados, puede que tenga dificultades para utilizar un cepillo de dientes normal, o una cuchilla de afeitar. Existen mangos largos adaptables a los cepillos de dientes. Las afeitadoras eléctricas pueden resultar más sencillas y seguras de usar que las de mango de plástico.

Sentarse en el inodoro y levantarse de él puede resultar difícil si le duelen las rodillas, caderas o tiene las piernas débiles. Un asiento más elevado reducirá la distancia de agacharse y levantarse. Se pueden fijar reposabrazos y pasamanos al inodoro para ayudarlo a sentarse y levantarse. Es importante que todos estos artilugios estén adecuadamente instalados.

Cocinar y comer

En la cocina, guarde las cosas de uso diario en lugares fácilmente alcanzables y que no le obliguen a agacharse o estirarse excesivamente. Puede incorporar una serie de objetos que le faciliten la vida como, por ejemplo, un abrelatas eléctrico. Los sacacorchos deben ser de doble palanca para no tener que tirar del corcho.

El terapeuta ocupacional puede aconsejarle muchos trucos para comer y beber. Los cuchillos aserrados facilitan el corte; un mantel de plástico antideslizante bajo el plato impedirá que éste se resbale. También se pueden encontrar tazas y otros utensilios especialmente diseñados para facilitar su sujeción.

Descubrir más de

Controlar el dolor	*138–141*
El ejercicio	*148–151*
Ayudas y útiles	*152–153*

Abrir un tarro puede resultar frustrante y doloroso aunque sus dedos o muñecas no estén más que ligeramente afectados. Sin embargo, un terapeuta ocupacional podrá informarle sobre numerosos útiles, incluyendo uno para abrir tarros, que facilitarán su vida diaria.

Dejar de fumar

Aunque fumar no es causa directa de la artritis, se sabe que es un factor de riesgo. Fumar contribuye a tantos problemas de salud que casi cualquier enfermedad se agrava en el caso de los fumadores. Algunos de los efectos perniciosos del tabaquismo pueden resultar especialmente dañinos en personas con artritis.

Todavía existe un elevado número de personas que desconocen los efectos perniciosos del tabaco, y que por tanto son vulnerables a las presiones de grupo y a la publicidad. Por eso merece la pena resumir algunos de los riesgos de fumar:

- Las personas que fuman tabaco sufren mucho más riesgo de desarrollar cáncer de pulmón, boca, garganta, esófago, vejiga, riñón, páncreas y cuello uterino.
- Los fumadores son más sensibles a la hipertensión, la enfermedad coronaria y la trombosis, que provoca mala circulación en las piernas y que, a veces, lleva a la gangrena y la amputación de un miembro. También pueden sufrir otros problemas circulatorios.
- Las personas gravemente afectadas por la artritis reumatoide pueden desarrollar problemas circulatorios. Fumar duplica el riesgo. La artritis suele limitar la movilidad y, a la larga, el tabaquismo, a través de las lesiones al sistema circulatorio, también.

Los efectos perniciosos del tabaquismo pasivo —cuando un no fumador inhala sin querer el humo del tabaco de un fumador cercano— se han demostrado concluyentemente, y la mayoría de las personas, sobre todo los padres con hijos pequeños, son conscientes de ello. Si fuma, no se sorprenda si se ve privado de la compañía de niños y otros no fumadores.

Si no es capaz de dejar de fumar, debería buscar ayuda profesional. Un médico podrá recomendarle algún producto disponible en forma de parches, chicles y sustitutos de los cigarrillos para ayudarlo a dejar el hábito gradualmente.

Dejar de fumar

Se sabe que la nicotina afecta al cerebro y provoca adicción igual que lo hace la heroína. Aunque la nicotina es tremendamente adictiva, la buena noticia es que se puede dejar el hábito. Por ejemplo, en el Reino Unido existen unos 11 millones de antiguos fumadores. Necesitará sentirse motivado antes de dejar de fumar, y el primer paso será el de tomar la decisión consciente de dejarlo, nadie más puede hacerlo por usted.

Un aliciente para dejar de fumar es recordar el dinero que se gasta en ello. Calcule cuánto se gasta en tabaco al año. Un modo de animarse al principio es guardar en una caja el dinero que se va ahorrando y gastárselo en algún capricho al cumplir, por ejemplo, un año desde el último cigarrillo.

EVITAR EL HÁBITO DE FUMAR

Para ayudarlo a dejar de fumar, acuda a sitios donde no esté permitido fumar:
- *acuda a la piscina;*
- *acuda al teatro o el cine;*
- *pase el fin de semana con amigos que no fumen;*
- *hágase voluntario de algún hospital durante unas horas a la semana;*
- *ofrézcase a cuidar de los niños de parientes o amigos, sabiendo que delante de ellos no puede fumar;*
- *viaje en transporte público en lugar del propio vehículo;*
- *dé una vuelta por su tienda favorita;*
- *acuda al gimnasio, si la artritis se lo permite;*
- *ofrézcase para ayudar, por ejemplo, como lector en la escuela local.*

Descubrir más de

La autohipnosis	60–61
Dietas especiales	142–147
El ejercicio	148–151

Quit, una organización dedicada a ayudar a dejar de fumar, ha desarrollado las siguientes directrices:
- Dese un capricho con el dinero que se ahorra.
- Elija una fecha para dejar de fumar y manténgala. La mayoría de las personas que lo logran, dejan de fumar de golpe, no poco a poco.
- Manténgase ocupado durante los primeros días. Muchas personas sienten la necesidad de hacer algo con las manos. Tire los paquetes de tabaco sin empezar, los ceniceros, cerillas y encendedores.
- Beba mucha agua, con unas rodajas de limón o naranja para darle buen sabor. Tenga siempre a su lado un vaso del que beber de vez en cuando.
- Sea más activo, porque lo ayudará a relajarse. Si la artritis se lo permite, suba por las escaleras en lugar de utilizar el ascensor, apúntese a natación o a alguna clase en su centro deportivo local.
- Si sufre síndrome de abstinencia y se muestra irritable, nervioso, con dolor de cabeza o garganta irritada, no se preocupe. Son señales de que el organismo se está reajustando para funcionar sin nicotina y, cuando suceda, los síntomas desaparecerán.
- Cambie de rutina y evite los lugares asociados al tabaquismo. Dé un rodeo para no pasar por delante del estanco donde solía adquirir su tabaco y, sobre todo, durante una temporada no salga con amigos que fumen.
- No utilice una celebración como excusa para fumarse "sólo un cigarrillo". En la mayoría de los casos, un cigarrillo conduce al siguiente.
- A medida que pasa el tiempo, controle su peso con más atención de la habitual. Dejar de fumar puede aumentar la necesidad de comer dulces. Aunque resulta difícil no verse afectado por ello, puede compensarse con una dieta más sana.
- Tómeselo con calma. Cada día que pase sin fumar supondrá toda una mejora en su salud. Incluso pocos días después de dejarlo ya notará que respira mejor y su nivel de energía aumentará.

Si cede a la tentación del cigarrillo, no se convenza a sí mismo de que la ha "fastidiado" para siempre. Simplemente no vuelva a fumar. Uno o dos tropiezos pueden significar que ha perdido esas batallas, pero no la guerra.

Relajarse con un cigarrillo en un momento de estrés es una de las razones principales por las que la gente fracasa al intentar dejar de fumar. Descubra otros modos de relajarse (véanse págs. 58-59).

La cirugía

Cuando todos los demás tratamientos han fracasado, la cirugía puede que sea la única opción que quede. En algunos casos se reemplaza toda la articulación artrítica, pero, en otros, se puede intentar primero un procedimiento menos drástico.

Sinovectomía

La sinovectomía es la eliminación quirúrgica del sinovio, la fina membrana que recubre la cápsula, normalmente llena de líquido, donde los extremos de dos huesos se juntan en una articulación. La operación se suele realizar en caso de artritis reumatoide gravemente inmovilizante y que no responde a otros tratamientos, entre los que se incluyen inyecciones de corticosteroides, antiinflamatorios no esteroideos (AINES) y otros medicamentos antiinflamatorios.

La sinovectomía se lleva a cabo para aliviar la sinovitis crónica. En una articulación normal, el sinovio segrega líquido sinovial para lubricar la articulación. El sinovio inflamado segrega un líquido menos viscoso y con menor poder lubricante. La eliminación del sinovio es un paso drástico, pero puede resultar muy beneficioso. En la artritis reumatoide, por ejemplo, el sinovio está enfermo y dejarlo en su sitio, a la larga, produce más daños que beneficios.

La artritis reumatoide

El sinovio es la primera parte del cuerpo, y la más, afectada por la artritis reumatoide. El sinovio rodea todas las articulaciones móviles del cuerpo y la artritis reumatoide puede afectar a cualquiera de ellas. Por ejemplo, las articulaciones de los dedos y los nudillos están afectadas en un 95 por ciento de las personas con artritis reumatoide, mientras que las caderas, codos y rodillas lo están en un 50 por ciento.

Los síntomas comienzan con una inflamación de la membrana sinovial, provocada por la migración de los glóbulos blancos hacia la membrana que, por motivos desconocidos, es considerada por el sistema inmunológico como el lugar de una grave infección. A menudo, el sinovio prolifera y forma "frondas" en la articulación, algunas de las cuales serán eliminadas con la sinovectomía, aunque otras permanecerán. Más adelante, el tejido alrededor de la articulación afectada, el sinovio entero y, a veces, los tendones que fijan los huesos a los músculos se engrosan por el crecimiento del tejido anormal, denominado pannus.

La artritis reumatoide no siempre progresa tanto. Un ataque inflamatorio puede controlarse con AINES. Éstos previenen o reducen la liberación de prostaglandinas, las hormonas que se liberan alrededor de las articulaciones en la etapa inicial de la artritis reumatoide, y que contribuyen a la inflamación, hinchazón y dolor. Si se pueden emplear AINES o algún otro tratamiento para controlar los efectos de la inflamación, la sinovitis será controlada y se evitará la cirugía.

La osteoartritis

El daño provocado en el sinovio por la osteoartritis puede ser secundario a una lesión del cartílago. La obesidad, un golpe, o la acumulación de daños por un trabajo o un estilo de vida que fuerce constantemente una articulación pueden contribuir a la rotura del cartílago que provoque los síntomas de la osteoartritis.

La rotura hace que la superficie del cartílago se deshilache y llene de agujeros. Según avanza el deterioro, los extremos de los huesos que suelen estar protegidos, empiezan a rozarse unos contra otros. El cuerpo reacciona produciendo más cartílago de lo normal para intentar rellenar el hueco, pero el cartílago de más suele ser de peor calidad y no posee las propiedades amortiguadoras de impactos del cartílago normal.

La sinovectomía casi nunca se realiza para tratar la osteoartritis.

La operación

La sinovectomía puede llevarse a cabo con anestesia general, para abrir la articulación y retirar el tejido anormal. Pero cada vez se realiza más mediante la técnica de la artroscopia, por la que el sinovio es retirado a través de una pequeña incisión realizada con un instrumento especial, llamado artroscopio. La utilización del artroscopio reduce la estancia en el hospital. La eliminación del sinovio parece una solución drástica, pero el cuerpo humano es tremendamente adaptable y, con la eliminación del tejido en peor estado, la articulación puede funcionar sorprendentemente bien.

Desbridamiento

El desbridamiento es la extirpación, o limpieza, del tejido lesionado. Se realiza cuando las superficies sometidas a peso y el recubrimiento de las articulaciones presentan lesiones o daños de manera que se desprenden pequeñas porciones que se introducen en la articulación y provocan la inflamación. Cuando existe un problema mecánico, debido al desgaste, el desbridamiento puede ser de utilidad. En el tratamiento de la artritis, alrededor del 95 por ciento de estas operaciones se hace sobre la rodilla, la articulación más sensible a este tipo de lesiones. La mayoría de los desbridamientos se realizan mediante artroscopia, que permite al cirujano ver el interior de la articulación sin necesidad de hacer más que una pequeña incisión.

La superficie de desgaste de una articulación normal debería ser suave y de un color blanco brillante. La superficie de una articulación anormal se parece a la carne de cangrejo, con trocitos blancos que sobresalen. El objetivo es suavizar la superficie de la articulación. El interior de la articulación se inspecciona a través del artroscopio y lo que aparezca rugoso será limado con un instrumento quirúrgico. La operación de alisado se aplica a veces al hueso, además de al cartílago.

La operación requiere anestesia general o, a veces, local. Los pacientes no suelen quedarse en el hospital más de un día. Experimentarán una ligera hinchazón, pero podrán caminar en poco tiempo.

¿Qué expectativas hay?

Los resultados del desbridamiento suelen ser buenos, pero no duran mucho. Se suele realizar sobre pacientes entre 40 y 50 años que sean candidatos a la sustitución de articulación, que, gracias al desbridamiento, podrá posponerse entre 18 meses y más de dos años. Sin embargo, los síntomas de la lesión se suelen reproducir. Se puede realizar un segundo desbridamiento, pero en cada ocasión, el período de alivio es más corto.

El desbridamiento es una operación de mantenimiento, realizada sobre articulaciones ligeramente desgastadas para retrasar una cirugía más compleja. Con el tiempo, la necesidad del desbridamiento irá desapareciendo.

Descubrir más de

Los medicamentos 110–115
La cirugía 128–129
Suplir una articulación 130–135

Tras un desbridamiento, los pacientes jóvenes deberían realizar ejercicios suaves para fortalecerse. El ciclismo, la natación o el remo son adecuados, pero no se aconseja correr hasta pasado cierto tiempo.

La cirugía

OSTEOTOMÍA

La necesidad de una osteotomía (cortar un hueso) puede surgir cuando la articulación de ese hueso no esté en la posición adecuada.

Básicamente, la osteotomía consiste en cortar un hueso para recolocarlo en otra posición. Este procedimiento es a veces necesario en la cadera, a menudo en la rodilla, frecuentemente en el pie y rara vez en otras articulaciones. También puede ser necesaria tras una fractura, cuando los huesos no hayan soldado en una buena posición. En ese caso, el cirujano puede decidir cortar los huesos para alinearlos y que se suelden en la posición adecuada.

¿A quién beneficia?

Se puede practicar una osteotomía sobre la cadera de una persona que haya nacido con la articulación mal colocada. En esos casos, puede que la parte superior del hueso del muslo esté demasiado recta, de manera que la cabeza femoral se deslice, o descubra (en el argot de los cirujanos), lateralmente fuera de la articulación. La osteotomía consiste en romper el extremo superior del hueso del muslo, curvarlo y volverlo a colocar en el interior de la cavidad, o acetábulo, de la cadera. Es la osteotomía más habitualmente realizada en huesos grandes.

La osteotomía de la rodilla puede realizarse sobre pacientes de mayor edad, normalmente porque tienen las piernas arqueadas desde la infancia. A menudo se debía a un raquitismo por falta de vitamina D, pero actualmente es raro. A la larga, el mayor peso soportado por un extremo de la articulación, provocará un excesivo desgaste.

El cirujano ortopédico solucionará el problema rompiendo la tibia, quitándole un trocito y soldándola de nuevo. Este procedimiento permite que el peso se transfiera del lado desgastado de la rodilla al lado sin desgastar.

Las articulaciones más pequeñas son a veces candidatas a la osteotomía, sobre todo los huesos del pie. Los metatarsianos, los huesos entre el tobillo y la base de los dedos, se pueden desprender, y las personas afectadas sienten como si caminaran sobre piedras. La operación para solucionarlo implica sencillamente romper o cortar los huesos y recolocarlos de modo que los extremos que presionaban contra el suelo se eleven.

¿Qué expectativas hay?

La osteotomía, como cualquier fractura de huesos que hayan sido recolocados, requiere entre cuatro y seis semanas para curar. Los resultados de la operación a corto plazo suelen ser buenos, pero, como sucede con otros tipos de cirugía, no pueden garantizarse. El período medio de mejora se sitúa entre 7 y 10 años. Pasado ese tiempo, suele ser necesaria una operación de sustitución de cadera o rodilla.

Con el aumento de las sustituciones de articulaciones, y la creciente capacidad para corregir anomalías sin tener que recurrir a la cirugía, las osteotomías son menos habituales que antes, aunque la técnica sigue siendo válida en determinados casos. Normalmente se realiza con anestesia general.

Las osteotomías no suelen tener necesidad de repetirse. A veces el hueso necesita ser estabilizado en su posición con una placa metálica, en cuyo caso el paciente deberá permanecer hospitalizado hasta dos semanas, pero, normalmente, los pacientes abandonan el hospital en pocos días.

ARTRODESIS

La artrodesis es una operación que consiste en cortar el extremo de dos huesos que se unen en una articulación y fusionarlos. Es un modo eficaz, aunque drástico, de eliminar el dolor agudo en una articulación afectada por la artritis. Elimina por completo la totalidad del tejido lesionado, así como la posibilidad de que vuelva a producirse artritis en esa zona.

Cuando las técnicas quirúrgicas estaban menos desarrolladas que ahora, la artrodesis era el tratamiento para muchos casos de artritis reumatoide y osteoartritis. La operación se solía aplicar a casos de tuberculosis, que afecta a las articulaciones. La propia enfermedad podía hacer que las articulaciones se fusionaran, desapareciendo el dolor, de modo que los cirujanos empezaron a hacer lo mismo artificialmente.

¿A quién beneficia?

Hoy en día, la artrodesis sólo se utiliza raramente en caso de osteoartritis aguda, cuando el dolor es tan fuerte y el efecto paralizante tan grande que el precio a pagar, en forma de pérdida de libertad de movimientos, merece la pena. La articulación más comúnmente eliminada por la artrodesis es la del dedo gordo del pie, para eliminar un juanete, una forma de osteoartritis en la que la articulación está gravemente deformada por el desgaste.

Si no es una persona joven, o especialmente activa, la artrodesis, o fusión, no será un precio excesivamente elevado a pagar por liberarse para siempre del dolor de un juanete. La artrodesis puede hacer que camine con cierta rigidez, aunque la mayoría de las personas se acostumbran.

Muy raramente, tras una grave lesión o infección, puede ser necesaria una artrodesis de la rodilla o, más raro aún, de la cadera. Así se eliminan por completo la infección y el dolor. Sin embargo, también provoca mayor incapacidad al convertir la pierna en una estructura rígida, o al fusionar la pierna a la cadera.

Las personas que se someten a la operación suelen conseguir caminar bien. La principal desventaja social se produce al viajar, por la dificultad para quitar del medio una pierna rígida en un coche, tren o avión, especialmente si está abarrotado.

A pesar de estos problemas, la artrodesis puede ser la mejor solución para una artritis reumatoide que progrese rápidamente en una persona joven, para quien es demasiado pronto para una sustitución de articulación, o en caso de una persona mayor cuya primera, o a lo mejor segunda, sustitución de articulación ha fracasado, y para la que no hay muchas posibilidades de éxito cara a otra sustitución.

La artrodesis puede practicarse en los dedos y los tobillos. A veces se utiliza para fusionar las dos primeras vértebras del cuello, dañadas por la artritis.

La artrodesis requiere anestesia general. La duración de la hospitalización dependerá de si la articulación fusionada requiere estabilización (ser fijada). En ocasiones, y según el lugar y cómo se ha realizado, se puede revertir una artrodesis y recrear la articulación eliminada durante la operación.

Descubrir más de

La cirugía	*126–127*
El ejercicio	*148–151*
Ayudas y útiles	*152–153*

Esta radiografía se tomó tras una osteotomía femoral para tratar una osteoartritis de cadera. El fémur fue cortado bajo la articulación y los dos extremos del hueso realineados con una fijación metálica atornillada al fémur, como si éste se hubiese roto accidentalmente.

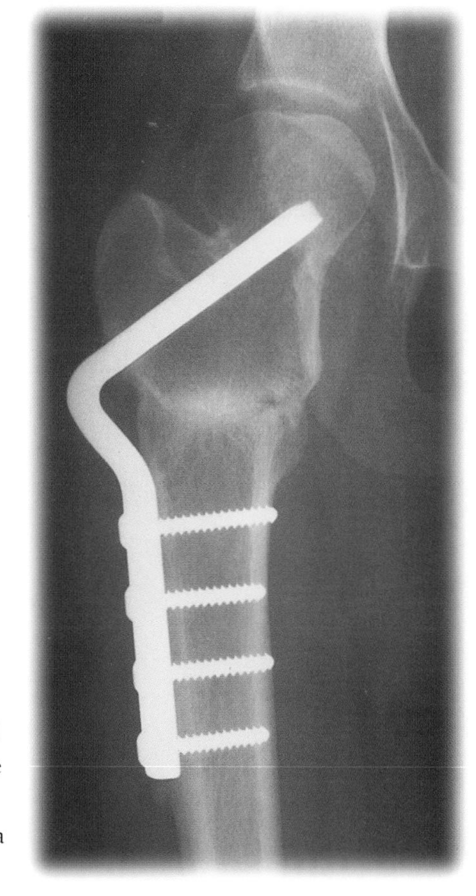

Sustitución de una articulación

La sustitución de articulaciones se inició en 1891, cuando los cirujanos alemanes experimentaron con una articulación de marfil para la cadera, fijada al hueso con tornillos recubiertos de níquel. Hoy en día existen distintas articulaciones de cadera, y miles de ellas se colocan cada día en todo el mundo.

La razón más común para el deterioro de una articulación hasta el punto de pensar en su sustitución es la osteoartritis, pero también se aplica para las enfermedades de las articulaciones provocadas por la artritis reumatoide. El médico tendrá en cuenta el dolor que sufre el paciente y el grado de incapacidad, y si ello supone una grave merma en su calidad de vida y actividades cotidianas.

Si le recomiendan una cirugía de sustitución, no hay motivo para deprimirse: si la decisión está bien pensada, estas operaciones suelen tener mucho éxito. Le advertirán seriamente que no espere un completo cambio. Sin embargo, las personas que se someten a una cirugía de sustitución, a menudo experimentan una gran mejoría en su calidad de vida. La nueva libertad de movimientos y la ausencia de dolor las llevan a pensar que son capaces de cualquier cosa, y esperarán demasiado de su nueva articulación.

Para la gran cantidad de personas que cada año se liberan de un constante y agudo dolor, la sustitución de articulación a menudo parece un milagro. El hecho de que estas operaciones puedan llevarse a cabo sobre personas que ya hayan cumplido los 90 años, da una idea de la confianza con la que las realizan los cirujanos.

Sustituir la cadera

Este tipo de sustitución es uno de los grandes hitos de la cirugía. Únicamente quien haya experimentado el alivio que supone podrá apreciarlo plenamente. La típica prótesis de cadera consiste en una bola metálica, normalmente de una aleación de cromo o titanio con un largo

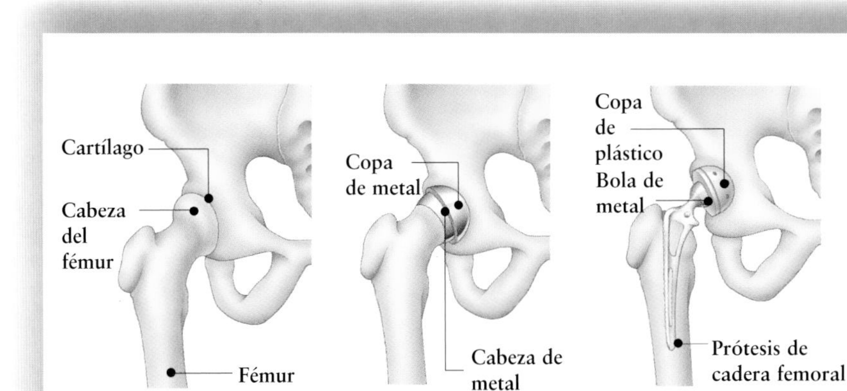

ARTICULACIÓN DE LA CADERA

Si el cartílago del fémur y la cavidad pélvica se deterioran (izquierda), hará falta cirugía de reparación. Un nuevo método utiliza una copa y una cabeza metálica para recubrir la cavidad y el fémur (centro). El método clásico utiliza una bola de metal y una copa de plástico.

clavo fijado a un extremo. La cavidad pélvica en la que, por naturaleza, rota la cabeza del fémur es sustituida por una cavidad hecha de plástico de polietileno de una densidad muy alta.

Se realizan unas incisiones, bajo anestesia general, en la región pélvica. Para acceder a los huesos, los músculos que los rodean son desplazados o cortados. Después, la articulación debe dislocarse. Se retira la cabeza del fémur y se introduce una varilla en el hueso para fijar el clavo metálico. La cavidad pélvica es agrandada para permitir la colocación de la cavidad artificial. Se utiliza un tipo especial de cemento para sujetar el clavo y la cavidad en su sitio. Después de colocar la bola en la cavidad, se realizan las reparaciones de músculos y tendones necesarias y se cierran las incisiones.

La segunda sustitución

El propio éxito de la cirugía de sustitución de cadera ha provocado problemas. Las sustituciones de cadera se aplican a personas cada vez más jóvenes por el considerable aumento en la calidad de vida que producen. Sin embargo, eso significa que las articulaciones artificiales se desgastan mucho antes de la muerte del paciente (la vida media de estas prótesis es de 10-15 años), de modo que cada vez hay más casos de segunda sustitución.

Aunque la segunda prótesis de cadera permite que el paciente siga sin dolor y con mucha más movilidad de la que tendría sin la operación, los resultados nunca son tan buenos como los de la primera operación. La segunda operación se lleva a cabo sobre un paciente más mayor, más delicado y, por tanto, menos capacitado para soportar los ligeros, aunque existentes, riesgos de una cirugía mayor.

El futuro

Los científicos y los ingenieros trabajan para crear una prótesis de cadera que dure mucho más que las actuales. Aunque algunas prótesis han resultado defectuosas, hasta ahora la principal razón del fallo en la articulación era que la varilla introducida en el fémur se aflojaba con el tiempo. La mejora en los cementos ha resuelto en gran parte este problema.

Descubrir más de

Los medicamentos	*110–115*
La cirugía	*126–129*
Suplir una articulación	*132–135*

Aquí se muestra la varilla metálica y la cavidad de plástico de una prótesis de cadera.

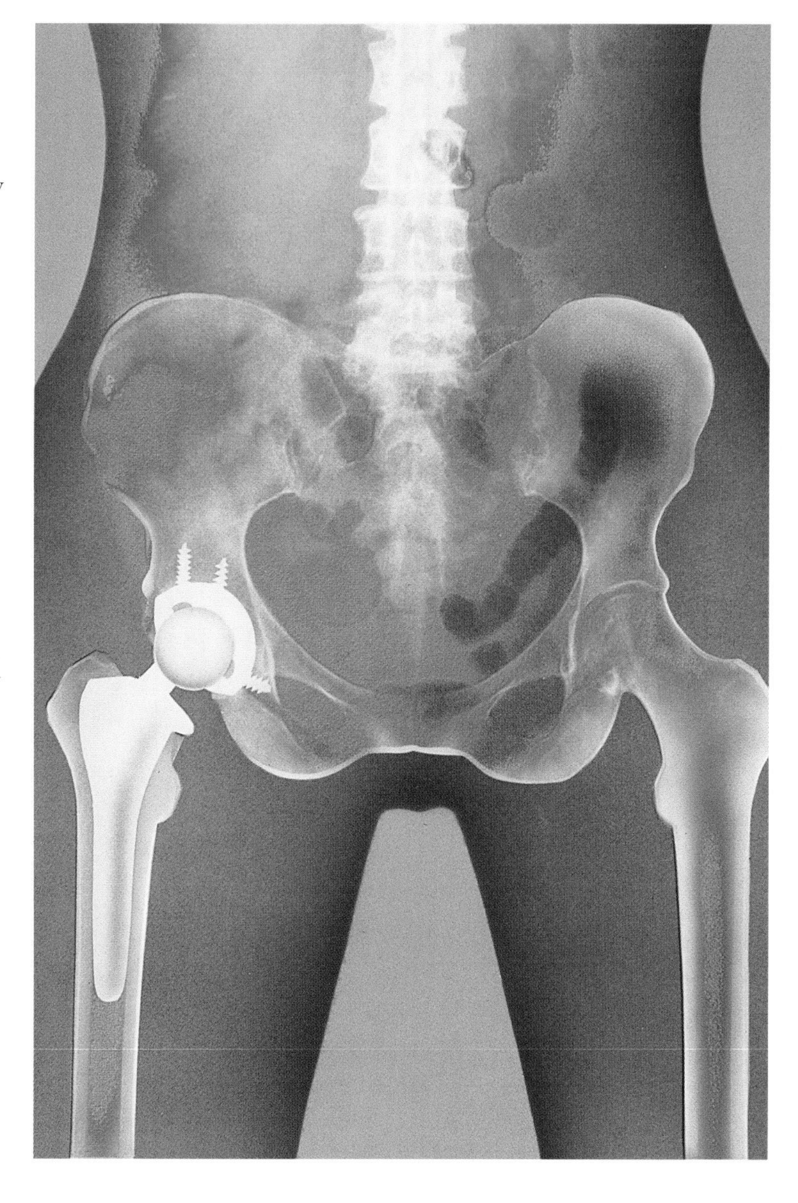

Sustitución de una articulación

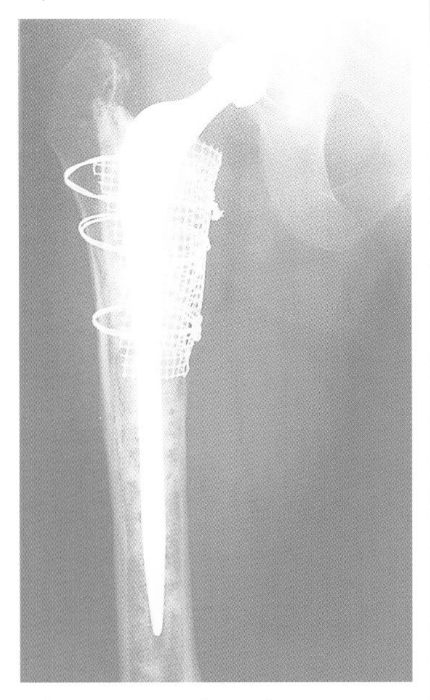

Esta radiografía muestra una prótesis total de cadera. El fémur (el hueso del muslo) ha sido cortado para encajar la varilla metálica, y la pelvis taladrada para encajar la cavidad. Una cesta metálica, fijada con alambres, rodea la parte superior de la articulación. Pequeños fragmentos de hueso de la cabeza del fémur han sido colocados en la cesta para ayudar en la soldadura del hueso.

El segundo problema es el desgaste de la articulación y, sobre todo, el de la superficie de la copa de polietileno en la que rota la bola. Las partículas desprendidas a medida que esta superficie de plástico se desgasta provocan una reacción biológica que debilita el hueso circundante y, por tanto, la articulación.

Los científicos afrontan este problema de distintas maneras. Una nueva prótesis experimental sólo utiliza componentes metálicos para recubrir la cabeza del fémur y la cavidad pélvica. Es adecuada para pacientes más jóvenes, pero el hueso debe ser de buena calidad, por lo que las mujeres que sufran osteoporosis no son candidatas a este procedimiento.

Otra técnica prometedora, investigada por un equipo británico, utiliza un material parecido al diamante, una forma endurecida de carbono que podría servir para recubrir la superficie de las articulaciones artificiales. Este material posee la cualidad de ser casi tan duro como el diamante, y la de ser resbaladizo y un buen lubricante, como el grafito, otra forma de carbono.

El equipo de investigación estudia los efectos de recubrir la bola y la cavidad de una prótesis de cadera con este nuevo material. También han descubierto que el recubrimiento de carbono puede fijarse con seguridad al recubrimiento de la cavidad natural, y que no provoca ninguna reacción biológica dañina durante el transcurso de su utilización. Este tipo de articulación puede alargar la vida de las prótesis en 5 o 10 años.

Antes de la operación

Si decide colocarse una prótesis de cadera, normalmente será invitado a visitar una clínica preoperatoria, o una consulta, en la que podrá exponer todas sus dudas sobre la operación a un especialista. Le examinarán para estar seguros de que es apto para la operación y también le aconsejarán que pierda peso o que haga más ejercicio, en caso de que sea necesario.

Seguramente le ingresarán el día anterior a la operación, o incluso antes si tiene algún problema que exija atención especial. El día de la operación, le darán un sedante. En el quirófano le pondrán anestesia general, o local para dormirle de cintura para abajo. Si es local, también le darán sedantes durante la operación.

La recuperación de la cirugía

Tras la operación, le dejarán puesta una vía intravenosa en el brazo, por la cual le administrarán líquidos, y cualquier medicación que necesite, directamente en vena. Quizá observe también un par de tubos que salen de la cadera. Son el drenaje para eliminar el líquido producido por el organismo tras la cirugía y mientras se cura.

Lo llevarán a una sala de reanimación, o una unidad de cuidados intensivos, donde se quedará hasta que el médico decida que su estado es estable, tras lo cual lo llevarán de nuevo a su habitación. Seguramente le colocarán un almohadón entre las piernas para mantenerlas separadas y en la posición adecuada. Recibirá calmantes para aliviar el dolor tras la operación.

El goteo y el drenaje suele retirarse 24 o 48 horas después de la operación. Lo animarán a que camine lo antes posible, ya que el ejercicio moderado acelera la curación y mejora la salud. Al principio caminará con un andador y, después, con muletas.

CASO CLÍNICO

Richard Dewing, de 61 años, sufría dolor recurrente de espalda desde hacía años.

—Al principio no pensé que las caderas tuvieran nada que ver con ello, pero a medida que empeoraba, cada vez tomaba más calmantes y, al final, acudí a un osteópata, que fue el primero en sugerir que quizás me vendría bien una operación de cadera. Al principio me mostré escéptico y me sentía demasiado joven, 55 años, pero acudí a un cirujano que me hizo unas radiografías.

Las articulaciones tenían un aspecto horrible. La cabeza del fémur parecía muy desgastada y toda la articulación tenía un aspecto dentado. Las dos caderas tenían el mismo aspecto horrible. Mi médico estaba convencido de que la cirugía era mi mejor opción y yo sentía gran confianza en el cirujano, quien me explicó la operación. De modo que decidí arreglarme las caderas.

Lo primero que noté tras la primera operación fue el extraordinario alivio del dolor en la cadera reemplazada. No es fácil saber qué sucede en esa zona, pero yo solía sufrir muchos dolores que se reflejaban en las piernas y otras partes. Unos dos días después de la operación, me sentía claramente mejor, y estaba ansioso por operarme la otra cadera, lo que sucedió unos seis u ocho meses después.

Antes de la primera operación, apenas podía caminar porque me dolía demasiado. Necesitaba asientos elevados y siempre buscaba alguna agarradera para poder levantarme. Mi vida se había vuelto muy incómoda en muchos aspectos y muchas tareas resultaban enormemente difíciles. Actualmente, unos cuantos años después de la segunda operación, puedo hacer muchas cosas que antes no podía: caminar a grandes distancias, correr si me hace falta, aunque no lo aconsejan, sentarme en cualquier asiento, cortarme las uñas de los pies y atarme los cordones de los zapatos, lo cual supone un gran alivio.

Aconsejaría a cualquiera cuyo médico crea que se beneficiaría de una prótesis de cadera que lo aceptara. La operación es muy sencilla y con pocos riesgos asociados. Alivia el dolor, algo tremendamente importante y que cambia, a mejor, la vida del paciente. Resulta rejuvenecedora.

Sustitución de una articulación

Los componentes utilizados para reparar una articulación de rodilla están resaltados en esta radiografía.

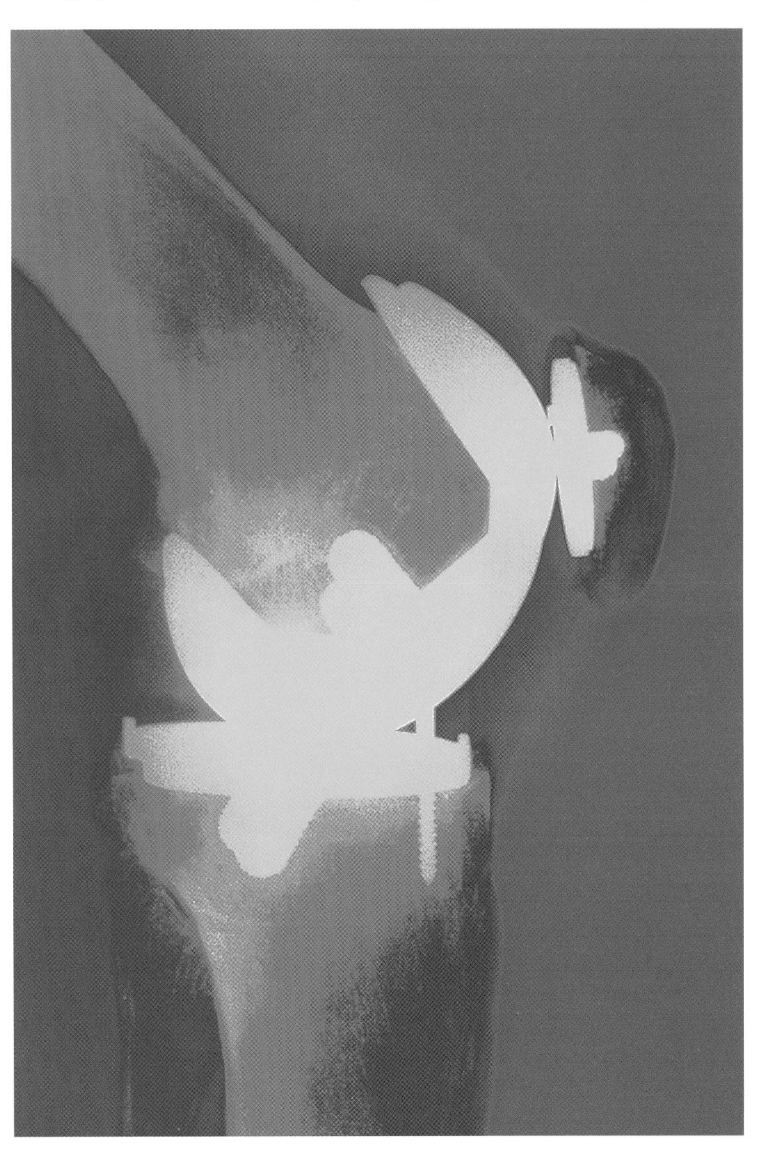

Sustitución de rodilla

El éxito de la primera prótesis total de cadera ha llevado al desarrollo de otras más. La rodilla es la segunda articulación más sustituida.

La mayoría de las personas con artritis de rodilla no necesitarán jamás una sustitución de articulación. Aunque la cirugía está disponible, los médicos tienen más reservas a la hora de recomendarla porque la operación es más complicada que la de cadera, y no hay tantos años de experiencia con las prótesis de rodilla como con las de cadera.

A diferencia de la cadera, que debe moverse en varias direcciones, se pensaba que la rodilla sólo se movía básicamente en una dirección. Las primeras prótesis de rodilla eran simples bisagras. Sin embargo, se hizó evidente que, además de moverse sobre una bisagra, la articulación natural de rodilla realiza una ligera rotación, por lo que las prótesis de una sola dirección de movimiento pronto se desecharon. Hoy existe una serie de prótesis de rodilla adaptables a las necesidades de los pacientes.

Cirugía de rodilla

Si está convencido de operarse de rodilla, y tiene ambas piernas afectadas, es posible operar las dos al mismo tiempo. Sin embargo, deberá tener en cuenta que la recuperación suele ser más sencilla si se opera una rodilla después de la otra y, dado que una de ellas suele estar peor que la otra, se recomienda realizar dos operaciones sucesivas.

El procedimiento, antes y después de la operación, suele ser el mismo que para la operación de cadera. Tras la intervención, le aconsejarán empezar a mover la articulación a los dos o tres días, o que no la mueva en una o dos semanas, según el tipo de articulación implantado.

Más adelante le recomendarán un aparato de ejercicios pasivos que flexione y estire su rodilla independientemente de sus movimientos. En dos o tres semanas podrá caminar con normalidad. Sin embargo, puede que tenga que esperar un poco más si el cemento de la articulación necesita más de tiempo para fijarse.

La gran mayoría de quienes reciben rodillas nuevas están encantados con el resultado final. La nueva articulación le liberará del dolor y, tras recuperarse de la intervención, tendrá la suficiente libertad de movimientos para realizar la mayoría de las actividades.

Otras sustituciones

Las articulaciones de los nudillos se sustituyen hoy sin problemas. Las de hombro y codo son más experimentales, pero también se sustituyen. Además, se están realizando rápidos progresos en el diseño de prótesis de dedo y tobillo.

Abandonar el hospital

La rapidez con que pueda regresar a su vida normal, casi seguro mucho mejor que la anterior, tras la operación depende de una serie de factores: la edad, el tipo de articulación sustituida, el estado de las demás articulaciones y el estado de los músculos.

La mayoría de las personas abandona el hospital en 6 o 10 días, aunque pueden producirse circunstancias especiales que requieran una estancia más prolongada. Hay que tener cuidado con no forzar en exceso la articulación al sentir alivio del dolor. Tendrá que tener un cuidado especial durante los primeros 8 a 12 días hasta que se acostumbre poco a poco a su nueva vida.

Lo que puede y no puede hacer

El fisioterapeuta y el terapeuta ocupacional y/o su médico le proporcionarán una lista de cosas que no debe hacer con una prótesis. Es esencial que siga las instrucciones al pie de la letra. Lo que puede y no puede hacer dependerá del tipo de prótesis que le hayan colocado y de su caso particular.

Es importante recordar que una articulación artificial de cadera jamás será tan buena como la articulación original. También le dirán, y esto es más difícil de recordar, que no cruce las piernas porque podría dislocar su nueva cadera, que no estará tan firmemente sujeta como la original.

El fisioterapeuta le ayudará con un programa individualizado de ejercicios adaptado a usted y a la fuerza de sus músculos. Podrá caminar, nadar (siempre que evite la braza) y montar en bicicleta. Debería evitar correr y jugar a algún deporte sobre superficie dura, ya que podría sobrecargar y golpear la articulación. La mayoría de los ejercicios moderados, sin embargo, son buenos y su nueva articulación está diseñada para soportarlos.

Seguramente podrá conducir tras cuatro o seis semanas, pero le aconsejarán que no incline demasiado las caderas ni levante demasiado las piernas al entrar y salir del coche.

¿CUÁLES SON LOS RIESGOS?

La sustitución de articulación, sobre todo la de cadera, es una operación de rutina, pero existe un riesgo: se pueden formar coágulos de sangre, que terminan por alojarse en el pulmón. Si esto sucede, puede bloquear los vasos sanguíneos del pulmón, dificultar la respiración, provocar colapsos e incluso la muerte.

A veces, la zona que rodea una articulación se infecta. En ese caso, puede ser necesario extraer la prótesis mientras se trata la infección. Tras unas semanas, se vuelve a reimplantar la prótesis.

Descubrir más de

La cirugía 126–129
Suplir una articulación 130–133
Las terapias físicas 116–119

4

VIVIR CON ARTRITIS

La artritis es un reto físico y emocional. Al tomar conciencia de que va a formar parte de nuestra vida, es normal sentirse deprimido, perder el sueño y el apetito, y sentirse ansioso por el futuro y la posibilidad de valerse por uno mismo. Pero se puede vivir con artritis si se toma el control, antes que sea ella la que nos controle. Esto implica documentarse sobre la enfermedad, hallar la manera de superar las limitaciones físicas, sincerarse con amigos y familiares y establecer metas realistas. Siempre hay algún modo de mejorar y conservar la salud, y este capítulo le ayudará a afrontar los retos físicos y psicológicos.

Controlar el dolor

Uno de los mayores retos a los que se enfrentan quienes sufren artritis es el dolor. El grado de dolor es variable. Sin embargo, aparte de la variedad de medicamentos, existen otras maneras de aliviar el dolor. Lo que funciona para una persona puede que no sirva para otra, por lo que habrá que probar distintos métodos.

El dolor en la artritis

El dolor es muy variable entre quienes sufren artritis, así como los remedios que lo alivian. Lo que provoca dolor es la inflamación de las articulaciones que produce hinchazón, enrojecimiento, calor y rigidez. Las articulaciones dañadas o desgastadas también pueden doler y provocar dolor muscular debido al esfuerzo realizado al intentar proteger las articulaciones de los movimientos dolorosos.

Si no se trata, el dolor puede agotar la energía e impedir el funcionamiento del organismo. Puede hacernos sentir enfadados y llenos de autocompasión. Hay que admitir el dolor como parte de la vida, pero sometido a él, puede tener un efecto destructor que afecte a nuestro estado de ánimo, perspectivas y relaciones con los demás. Si estamos ansiosos, deprimidos, estresados o fatigados el dolor parecerá mayor. Si no tenemos cuidado, podemos caer en el círculo vicioso del dolor, la depresión y el estrés, que puede interferir en nuestra calidad de vida. Pero, si aprendemos a controlar el dolor, es menos probable que suceda.

Calmantes naturales

El cerebro y la médula espinal liberan sus propios analgésicos, las endorfinas, de estructura química similar a la morfina. Las endorfinas pueden liberarse en el

Disfrutar de un estilo de vida feliz y saludable nos ayudará a mantener una actitud positiva.

TERAPIAS ÚTILES

Uno de las mayores ventajas de las terapias complementarias es su capacidad para aliviar el dolor. Pruebe con:

- *Tai chi (págs. 48-49)*
- *Fitoterapia (págs. 82-85)*
- *Homeopatía (págs. 86-89)*
- *Osteopatía (págs. 90-91)*
- *Quiropráctica (págs. 92-93)*
- *Reflexología (págs. 96-99)*

Descubrir más de

Terapias físicas	116–117
La dieta	142–147
El ejercicio	148–151

organismo, por ejemplo, mediante el ejercicio, y también a través de masajes, calor, frío, hidroterapia, fisioterapia, sexo y una actitud positiva.

La actitud positiva hacia el dolor

Mantener una actitud positiva supone ser menos propenso a vivir una vida que gire alrededor del dolor y la enfermedad. Es normal sufrir de vez en cuando, pero cuanto más centrado esté en el dolor, más intenso será éste. Procure no pensar en el dolor, haciendo aquello con lo que disfrute: reír, comer bien, hacer un poco de ejercicio diario, salir con los amigos. Dese algún capricho y procure tener algún aliciente para cada día. Mímese y acuéstese cada noche con un estado mental positivo.

Entre las técnicas recomendadas para combatir el estrés y la fatiga está el ejercicio regular, la relajación, aprender a decir "no" al exceso de trabajo, descansar lo suficiente, marcarse un ritmo, adoptar una buena postura y dormir lo suficiente.

Proteger las articulaciones

Se pueden proteger las articulaciones realizando las actividades diarias de manera que se reduzca el estrés sobre ellas.

- Sea consciente de su postura y evite actividades que impliquen realizar mucha fuerza con los dedos. Evite mantener una misma postura durante mucho tiempo.
- Siempre que sea posible, utilice las articulaciones y músculos más grandes y fuertes para las tareas cotidianas. Reparta el peso de un objeto entre varias articulaciones para reducir el estrés sobre una en particular.
- Utilice útiles y ayudas para facilitar las tareas más complejas (*véanse* págs. 152-153).
- Evite el sobrepeso para no someter a las articulaciones a estrés y a un mayor dolor y deterioro (*véanse* págs. 116-117).
- Pida ayuda cuando la necesite. No sufra en silencio.

Ahorrar energía

- Esté atento a las señales de su cuerpo, indicativas de que necesita descansar.
- Márquese un ritmo, no se fuerce. Si se excede puede provocarle agotamiento y una recaída.
- No malgaste energía en aquello que no lo merezca realmente. Busque algún modo de realizar las tareas y que implique el menor gasto energético.
- Procure alcanzar un equilibrio saludable entre la actividad y el descanso. Siéntese siempre que pueda y planifique momentos de descanso, pero tampoco descanse en exceso, ya que puede provocar rigidez muscular.

Controlar el dolor

CONTROLAR EL DOLOR SIN MEDICAMENTOS	
CALOR	El calor es lo mejor para articulaciones y tejidos blandos con artritis prolongadas. **Calor húmedo**: Sumérjase en un baño caliente. Añada aceites o sales de Epsom • Existen aparatos caseros de Spa, útiles en caso de artritis. Se trata de un colchón especial, conectado a una máquina a través de una manguera que sopla aire y hace burbujear el agua. • Aplíquese toallas o cataplasmas calientes, aunque no debe dejarlas más de 15 o 20 minutos, tres veces al día. **Calor seco**: Los parches de calor calientan las zonas doloridas. • Las mantas y colchones eléctricos son muy reconfortantes. • Las sábanas de franela dan mucho calor a la piel. • Una botella de agua caliente envuelta en una toalla mantiene calientes las partes del cuerpo elegidas. • Calentar la ropa en el radiador antes de vestirse sirve de ayuda. • Los masajeadores de calor profundo calientan el interior de la articulación, pero sin quemar la piel.
FRÍO	El frío es mejor para rebrotes de una inflamación articular aguda. Reduce la hinchazón y los espasmos musculares y calma el dolor. Comprar una cataplasma o fabricarla con una toalla enrollada alrededor de un paquete de verdura congelada. Se aplica de 10 a 15 minutos. Abstenerse en caso de mala circulación.
BAÑO DE CONTRASTE	Es una mezcla de tratamiento frío y caliente. Se sumerge un pie o una mano en agua caliente, luego fría, y caliente otra vez.
HIDROTERAPIA	La hidroterapia evita la gravedad y permite realizar ejercicios suaves para reducir la rigidez y el dolor articular. Muchos balnearios disponen de baños calientes y piscinas vigorizantes y relajantes. La hidroterapia es un tratamiento estándar disponible en numerosos centros de fisioterapia. El ejercicio o el acuaeróbic en la piscina también es bueno para la artritis (*véanse* también págs. 66-67).
MASAJE	Los músculos de una zona dolorida se masajean para aumentar el flujo de sangre y producir calor. Puede realizárselo uno mismo o pedirle a alguien que lo haga, o buscar un masajista profesional. Un aceite facilita el deslizamiento de las manos, y a algunas personas les alivia el dolor. Si se produce dolor durante un masaje hay que parar. Nunca debe masajearse una articulación inflamada (*véanse* también págs. 68-71).
FRIEGAS CALIENTES	También conocidas como rubefacientes, bloquean la sensación de dolor y aumentan el flujo sanguíneo local en la piel.
ENTABILLADO	Deja descansar la articulación y, por tanto, reduce la inflamación y el dolor. Debe usarse con precaución ya que pueden provocar el debilitamiento de la articulación.

CONTROLAR EL DOLOR SIN MEDICAMENTOS

TENS	La electroestimulación nerviosa transcutánea consiste en la estimulación nerviosa a través de impulsos eléctricos (*véanse* págs. 120-121). No duele, pero puede ocasionar picor. TENS es especialmente útil para tratar el dolor localizado.
PULSERA DE COBRE	Hay estudios que sugieren que la pulsera de cobre libera cantidades traza de cobre a la piel, aliviando el dolor y la rigidez. Los beneficios de este remedio tradicional son controvertidos.
TERAPIA DE RELAJACIÓN	La relajación calma el cuerpo y la mente y libera la tensión muscular, aliviando así el dolor. Necesitará un lugar donde pueda estar tranquilo unos 20 minutos. Escuche música o algún sonido natural, como de agua. Encuentre una posición cómoda, respire profundamente, piense en cosas relajantes e imagine escenas placenteras. Se sentirá relajado y con una renovada sensación de bienestar. Otra forma de relajación es la visualización guiada, donde una voz grabada le guía por un precioso escenario (*véanse también* págs. 58-59).
MEDITACIÓN	Hay quienes dicen que la meditación los refresca y revitaliza. Acalla la mente y disminuye el estrés, reduciendo así el dolor. Se puede meditar con un mantra, concentrándose en la respiración o en algún objeto pequeño, como una flor (*véanse también* págs. 54-55). A algunas personas las relaja y consuela la oración.
HYPNOSIS	La hipnosis calma el dolor al producir un estado de profunda relajación que permita aceptar sugerencias para un cambio positivo (*véanse* págs. 60-61).
SUEÑO	Una buena noche de sueño restablece la energía y aumenta la capacidad de control del dolor. También permite la relajación de las articulaciones. Asegúrese de irse a dormir a la misma hora cada día e invierta en una buena cama.
ACUPUNTURA Y ACUPRESIÓN	Las agujas o la presión se aplican a ciertos puntos para estimular los nervios que ordenan al cerebro la liberación de endorfinas (*véanse* págs. 74-81).
AROMATERAPIA	Los aceites esenciales, como romero, benjuí, camomila, alcanfor, enebro o lavanda, se emplean junto al masaje para calmar y relajar. Ciprés, hinojo, limón y gaulteria desintoxican y reducen la inflamación (*véanse también* págs. 50-53).
TERAPIA NUTRICIONAL	El cuerpo humano, al parecer, utiliza los ácidos grasos esenciales omega-3 para producir prostaglandinas, unas sustancias que reducen la inflamación asociada a la artritis. El pescado azul, como el arenque, la caballa, el salmón y la trucha, es una excelente fuente de ácidos grasos (*véanse también* págs. 64-68 y 142-147).

La dieta

Desde hace unos años, los médicos se toman muy en serio la dieta porque cada vez hay más pruebas de que la nutrición juega un papel fundamental en la artritis, sobre todo en la artritis reumatoide. Las investigaciones muestran que un cambio de dieta puede aliviar los síntomas.

La dieta no puede curar la artritis reumatoide, pero puede disminuir el dolor, acortar los períodos de rigidez y aumentar la fuerza de agarre. Con el cambio de dieta, algunas personas son capaces de reducir los fármacos, pero otras no notan casi ningún beneficio.

Muchas personas con artritis reumatoide no comen sano. Según la revista *Arthritis and Rheumatism*, sólo el 6 por ciento de los afectados consumen las cantidades diarias recomendadas de selenio, que protege frente a la artritis, y sólo el 23 por ciento toma suficiente calcio, esencial para unos huesos fuertes. La mejor manera de asegurar la ingesta de estos y otros nutrientes esenciales es mediante una dieta sana y equilibrada.

El sobrepeso puede empeorar los síntomas de la artritis. Es fundamental perder peso. Una dieta equilibrada y algo de ejercicio (*véanse* págs. 148-151) puede ayudar.

¿Qué es una dieta equilibrada?

Hay que empezar por aumentar la ingesta de féculas, que contienen carbohidratos complejos, y de fruta y verduras. Los carbohidratos complejos se digieren más lentamente y proporcionan energía durante más tiempo que los refinados. Lo ideal es que dos tercios de las calorías procedan de los carbohidratos complejos, provenientes de la pasta, los cereales y las verduras.

Para conseguir una mezcla de nutrientes, coma verdura y fruta fresca de distintos colores. La mejor manera de conservar los nutrientes es cocinar al vapor o con el microondas. Al menos una vez por semana, procure que su dieta sea completamente vegetariana. Cuando coma carne, procure que sea de ave.

Disminuya la ingesta de grasa, ya que posee el doble de calorías que las proteínas y los carbohidratos. Las grasas saturadas, que se encuentran en la bollería, el queso, la margarina y las patatas fritas, son lo primero a reducir. También hay que reducir el azúcar, que proporciona calorías, pero no nutrientes.

Muchos artríticos alivian los síntomas con una mezcla de dieta sana y medicación.

LA ALIMENTACIÓN Y LA ARTRITIS

ALIMENTOS SANOS

PESCADO Y MARISCO	Salvo para quien tenga gota (*véanse* págs. 24-25), todos los pescados son buenos, sobre todo el azul de aguas frías: caballa, sardina, arenque, salmón, halibut, trucha y atún. Coma al menos cinco raciones a la semana.
POLLO, PAVO, TERNERA	Son mejor que la carne roja. No coma la piel del pavo.
FRUTA Y VERDURA	Todas las verduras son buenas, sobre todo las de hoja verde. Cualquier fruta es buena.
CEREALES	El pan y el arroz integral poseen más fibra.
GRASAS POLIINSATURADAS	Se encuentran en los aceites de semillas, como el de girasol y el de cártamo, ricos en el ácido graso esencial alfa linolénico. Añada semillas de linaza, de girasol y aceites sin refinar a su dieta.

ALIMENTOS A EVITAR

GRASAS Y FRITOS	Se incluye la carne roja, como la vaca y el cerdo. Estudios recientes indican que algunas grasas pueden tener efectos inflamatorios sobre personas con artritis reumatoide.
LEGUMBRES	Legumbres como las lentejas contienen una sustancia, lectina, que puede agravar los síntomas de la artritis.
PRODUCTOS LÁCTEOS	Incluyen leche, queso, yogur, nata, helado y otros derivados de la leche. Algunos estudios recientes demuestran que pueden agravar los síntomas de la artritis reumatoide y la artritis psoriática en algunas personas.
BEBIDAS GASEOSAS	Los fosfatos de estas bebidas agotan el calcio.
ADITIVOS Y CONSERVANTES	Estudios recientes demuestran que, en algunas personas, los colorantes alimentarios pueden empeorar la artritis reumatoide y la artritis psoriática.

Descubrir más de

Suplementos alimenticios 146–147
La fitoterapia 82–85

Preparar comidas con algunas hierbas, como el jengibre, de propiedades antiinflamatorias, y el perejil, rico en calcio, es de utilidad para el tratamiento de la artritis.

La dieta

La mayoría de las personas sienten beneficios al llevar una dieta sana. Para los artríticos es especialmente importante ser consciente de que se pueden mejorar los síntomas si se tiene cuidado con lo que se come.

Aunque una persona con artritis siga una dieta sana y equilibrada, puede que necesite tomar algún suplemento, sobre todo calcio y hierro. Algunas personas también se sensibilizan a determinados alimentos de su dieta.

Osteoartritis y calcio

La mejor manera de prevenir la osteoartritis es asegurando una ingesta suficiente de calcio en la dieta desde la infancia. Las necesidades de calcio varían en función del sexo, la edad y, en el caso de las mujeres, de si está embarazada o lactando. Un adulto medio de 19 años necesita 700 mg al día. El médico le aconsejará sobre la necesidad o no de tomar suplementos de calcio.

Una cantidad adecuada de vitamina D, fundamental para la absorción del calcio, es también necesaria para prevenir la osteoporosis. Esta vitamina se encuentra en el pescado azul, la yema de huevo y algunos cereales. Las personas de piel clara también pueden conseguirla si se exponen 15 minutos al sol. Deberían evitarse alimentos que interfieran en la absorción del calcio, como las bebidas gaseosas, las espinacas y el salvado.

¿Por qué es importante el hierro?

Se suele asociar la anemia con la artritis, por ser una enfermedad crónica o por tomar durante mucho tiempo fármacos antiinflamatorios no esteroideos (AINES). Son buenas fuentes de hierro el pescado azul, como las sardinas; las legumbres, como las lentejas, y las verduras de hoja verde y oscura, como las espinacas.

Los alimentos ricos en vitamina C, que encontramos en frutas y verduras, contribuyen a la absorción del hierro. El té reduce la absorción de hierro por el organismo; hay que evitar tomarlo hasta pasada media hora de la comida.

Sensibilidad a los alimentos

Las personas que padecen gota son sensibles a alimentos que contienen purina. Algunos investigadores opinan que la sensibilidad a los alimentos puede empeorar los síntomas de la artritis reumatoide y, aunque estos enfermos no muestran la clásica reacción alérgica hacia ciertos alimentos, muchos desarrollan síntomas sólo cuando los comen. Se es sensible a cierto alimento porque el sistema inmunológico está alterado. La sensibilidad alimentaria también puede desarrollarse tras comer lo mismo cada día.

Entre los alimentos que pueden causar algún problema se incluye el huevo, los frutos secos, la cebolla, el chocolate y algunas solanáceas como el tomate, la patata, el pimiento, la berenjena y el tabaco. Una manera de averiguar qué alimentos agravan su artritis es anotar diariamente lo que come junto con algún

Descubrir más de

BUENAS FUENTES DE CALCIO

El calcio de los productos lácteos se absorbe mejor que el de otros alimentos, a pesar de lo cual, otros alimentos, sobre todo los citados aquí, son una buena fuente de calcio.

Productos lácteos

Ración	Calcio en mg
Yogur (140 g)	240
Leche descremada (190 ml)	236
Leche semidescremada (190 g)	231
Leche entera (190 ml)	225
Queso cheddar (28 g)	202–207
Queso manchego(25 g)	186
Helado (112 g)	134
Requesón (112 g)	67

Productos no lácteos

Ración	Calcio en mg
Sardinas (56 g)	220–258
Trucha a la plancha (100 g)	218
Gambas peladas (84 g)	126
Almendra cruda, pelada (56 g)	90
Col hervida (112 g)	84
Naranja grande	70
Judías estofadas (112 g)	60
Salmón en lata (56 g)	52
Orejones de albaricoque (56 g)	52
Brécol hervido (112 g)	45
Repollo hervido (112 g)	34
Cacahuetes (56 g)	34
Pan integral (60 g)	32
Berros (14 g)	31

síntoma de dolor, malestar, hinchazón o rigidez posterior. Algunos especialistas emplean otros métodos para diagnosticar sensibilidades alimentarias, pero no se ha probado su efectividad.

Una vez identificados los alimentos causantes de síntomas, deben ser eliminados de la dieta durante un mes y después reintroducidos uno a uno para comprobar si los síntomas reaparecen. Dado que la reintroducción de ciertos alimentos puede provocar una reacción grave, la dieta de eliminación debería ser supervisada por el médico.

La dieta naturópata

En caso de artritis reumatoide, los naturópatas recomiendan una dieta rica en cereales integrales, verdura y fibra, y pobre en azúcar, proteína animal e hidratos de carbono refinados.

El ayuno y el ayuno parcial

El ayuno puede reducir la gravedad de la artritis reumatoide y, a veces, es útil durante los rebrotes, lo que sugiere la importancia de la alimentación en el proceso. Se supone que el ayuno favorece la salud porque permite el completo descanso de todos los órganos del cuerpo, las toxinas se eliminan, el organismo se purifica y el hígado se activa. El ayuno modifica la bioquímica del cuerpo y disminuye la acción de ciertas enzimas, además de bloquear algunos pasos clave en la cadena que lleva a la inflamación y el dolor. El ayuno es habitual en la medicina naturópata y ayurvédica.

En un ayuno parcial, se pueden tomar infusiones o zumos. A veces se aconseja un ayuno parcial durante 7 a 10 días, para limpiar el organismo antes de comenzar con una dieta de eliminación.

La dieta

SUPLEMENTOS ALIMENTICIOS EN CASO DE ARTRITIS REUMATOIDE

Aceites de pescado	El aceite de pescado contiene importantes ácidos grasos, EPA y DHA, de efecto antiinflamatorio. Una dosis alta de aceite de pescado (3 g al día) mejora a largo plazo el dolor y la rigidez articular. Aunque no se altere la dieta, el mero hecho de incorporar aceites de pescado ya produce una mejoría. Es necesaria una dosis diaria de aceite de pescado durante al menos tres a seis meses para que sea eficaz.
Ácido gamalinolénico (GLA)	El GLA, un ácido graso esencial, se encuentra en el aceite de prímula, en el de semilla de borraja y en el de semilla de grosella negra. Se transforma en la prostaglandina E1, conocida por sus efectos antiinflamatorios. Seis gramos al día puede aliviar la rigidez matinal y otros síntomas.
Antioxidantes	Eliminan los peligrosos radicales libres del organismo y poseen efecto antiinflamatorio. Entre los antioxidantes se hallan la vitamina E y el selenio. La artritis reumatoide provoca inflamación articular, y vacía las articulaciones de vitamina E. Una dosis diaria de 600 iu ha demostrado ser eficaz en caso de artritis reumatoide.
Vitamina B_5	En la artritis reumatoide puede darse un déficit de vitamina B_5, o ácido pantoténico, que ayuda a reparar los tejidos. Algunos nutricionistas sugieren que 1.000 mg de vitamina B_5 alivian la rigidez matinal, la inmovilidad y el dolor.
Vitamina B_6	Ayuda a reducir la inflamación y la rigidez articular.
Vitamina C	Es útil si se toma aspirina, ya que ésta destruye la vitamina C. Esta vitamina puede faltar en la artritis reumatoide, seguramente por la actividad de los radicales libres en la zona inflamada. La vitamina C elimina los radicales libres y es necesaria para la formación de huesos y cartílagos. También favorece la absorción de hierro.
Hierro	Las personas con artritis reumatoide pueden sufrir anemia. El médico sugerirá los suplementos de hierro que se deben tomar para prevenir la anemia.
Calcio con vitamina D	El calcio es importante en caso de artritis, sobre todo en mujeres con riesgo de osteoporosis. Debe tomarse citrato de calcio o calcio quelado. La vitamina D, que puede obtenerse del sol y el pescado azul, ayuda al organismo a absorber el calcio.
Zinc	El metabolismo del zinc se altera, y su nivel disminuye, por la artritis reumatoide. Junto con otros nutrientes, el zinc también es antiinflamatorio.
Selenio	Existe una relación entre los niveles bajos de selenio y la artritis reumatoide. Las personas con artritis parecen sufrir una anomalía en el metabolismo del selenio.

SUPLEMENTOS ALIMENTICIOS EN CASO DE OSTEOARTRITIS	
Calcio con Vitamina D	El calcio es necesario para formar y fortalecer los huesos. Es importante para personas con artritis, sobre todo en mujeres con riesgo de osteoporosis. Debe tomarse citrato de calcio o calcio quelado. La vitamina D ayuda a absorber el calcio. Se obtiene del sol y del pescado azul o el aceite de hígado de pescado.
Sulfato de glucosamina	Procede de las conchas marinas y es necesario para reparar el cartílago de las articulaciones. Los síntomas pueden reducirse y las articulaciones dañadas repararse con 500 mg, tres veces al día.
Sulfato de condroitina	Sus niveles disminuyen en el cartílago de la articulación afectada por osteoartritis, y puede que en otras formas de artritis. Puede ayudar a restaurar la función articular. El sulfato de glucosamina y el de condroitina pueden tomarse juntos.
Vitamina B_6	Es necesaria para la absorción del sulfato de glucosamina y el de condroitina.
Antioxidantes	Las personas que toman muchos antioxidantes muestran un deterioro más lento de las articulaciones, sobre todo de las rodillas. De 400 a 600 iu de vitamina E al día reduce los síntomas de la osteoartritis. Los picnogenoles surten un efecto similar.
Hierro con Vitamina C	Los analgésicos, como la aspirina, y los AINES pueden terminar por provocar úlcera de estómago, que puede producir hemorragias y anemia. Aumente la ingesta de hierro en las comidas, así como la de vitamina C, que ayuda a absorber el hierro. El médico le recetará suplementos de hierro en caso necesario.
Boro	Afecta al metabolismo del calcio y parece haber relación entre la falta de boro y la artritis. 6 mg de boro a diario durante dos meses pueden aliviar los síntomas de la osteoartritis. Sin embargo, puede aumentar el nivel de estrógenos, por lo que se limitarán los suplementos de boro a 1 mg al día. Se halla en el polen y el *kombu*.
Magnesio	Es necesario para mantener los huesos sanos.
Aceite de pescado	Puede ayudar a reducir los síntomas de la osteoartritis.
Zinc	Es necesario para la regeneración del tejido conectivo en los cartílagos.
Niacinamida	Es una forma de vitamina B_3. En dosis elevadas (250 mg, 4-16 veces al día) puede aumentar la movilidad articular, mejorar la fuerza muscular y disminuir la fatiga.
D-fenilalanina	Aminoácido utilizado en el tratamiento del dolor crónico, con efectividad variable.

El ejercicio

El ejercicio es una de las cosas más importantes que puede hacer. Combate los síntomas y el avance de la artritis. Protege de la pérdida de movilidad, mantiene el funcionamiento de músculos y articulaciones, y ayuda a prevenir la incapacidad.

El ejercicio fortalece los músculos, aumenta la movilidad y reduce el dolor y la rigidez articular. Ayuda a controlar el peso y contribuye a una mayor sensación de bienestar a través de la liberación de endorfinas. Los ejercicios con pesas aumentan la densidad ósea. Si no hace ejercicio, perderá fuerza muscular y las articulaciones se volverán más inestables y dolorosas. La falta de actividad aumenta a menudo los síntomas de la artritis.

La cantidad y frecuencia del ejercicio dependerá del tipo de artritis. Aunque tenga afectadas muchas articulaciones, necesitará hacer ejercicio. Sin embargo, hay que tener cuidado cuando se produzca una recaída, en cuyo caso sólo deberá hacer algún ejercicio suave. Lo mejor es tener un programa de ejercicios personalizados, programados por un fisioterapeuta. El ejercicio debe hacerse en los momentos de menos dolor y rigidez, y cuando la medicación surta más efecto.

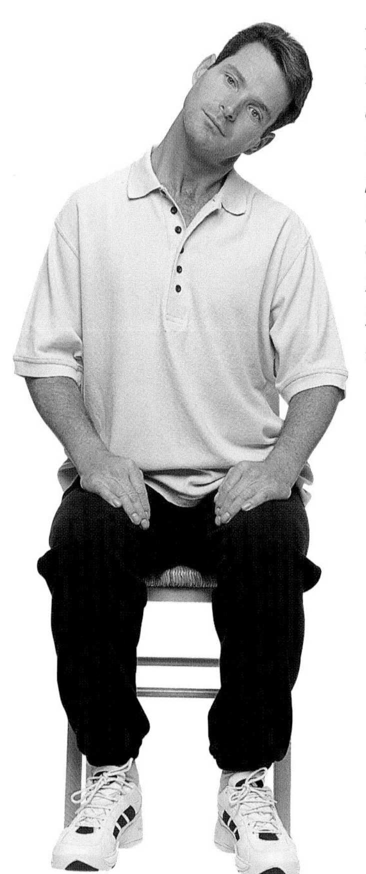

Flexión lateral de cuello

Estira los músculos del cuello y disminuye la rigidez.

1. Sentado en una silla de respaldo recto, flexione el cuello lentamente hacia un lado e intente tocar el hombro con la oreja.

2. Estire el cuello a cada lado.

3. Repita la secuencia de cinco a diez veces.

Giro de cuello

Posee todos los beneficios de la flexión lateral y es bueno para la circulación.

1. Sentado en una silla de respaldo recto, gire lentamente el cuello hacia un lado, como si intentara mirar a su espalda.

2. Vuelva a la posición inicial y repita hacia el otro lado.

3. Repita la secuencia cinco veces.

¿CUÁL ES EL MEJOR EJERCICIO PARA LA ARTRITIS?

Existen tres tipos de ejercicios ideales para los artríticos:

- *Estiramiento*
- *Fortalecimiento*
- *Resistencia*

Cada uno ejerce una función distinta, y no debería sustituirse uno por otro. Hay que tener en cuenta las limitaciones propias de cada cuerpo; ningún beneficio resultará de forzar el organismo en exceso.

Los estiramientos mueven suavemente las articulaciones hasta la máxima amplitud del movimiento. Ayudan a mantener la movilidad articular, alivian la rigidez y aumentan la flexibilidad. Deberían repetirse dos veces al día, con un período de descanso.

Los ejercicios de fortalecimiento son útiles cuando se ha perdido fuerza en alguna articulación. Para lograr su objetivo, requieren repeticiones.

Los ejercicios de resistencia mejoran el sistema cardiovascular y ayudan a estimular el metabolismo.

Descubrir más de

La fisioterapia y el ejercicio 118–119

El ejercicio 150–151

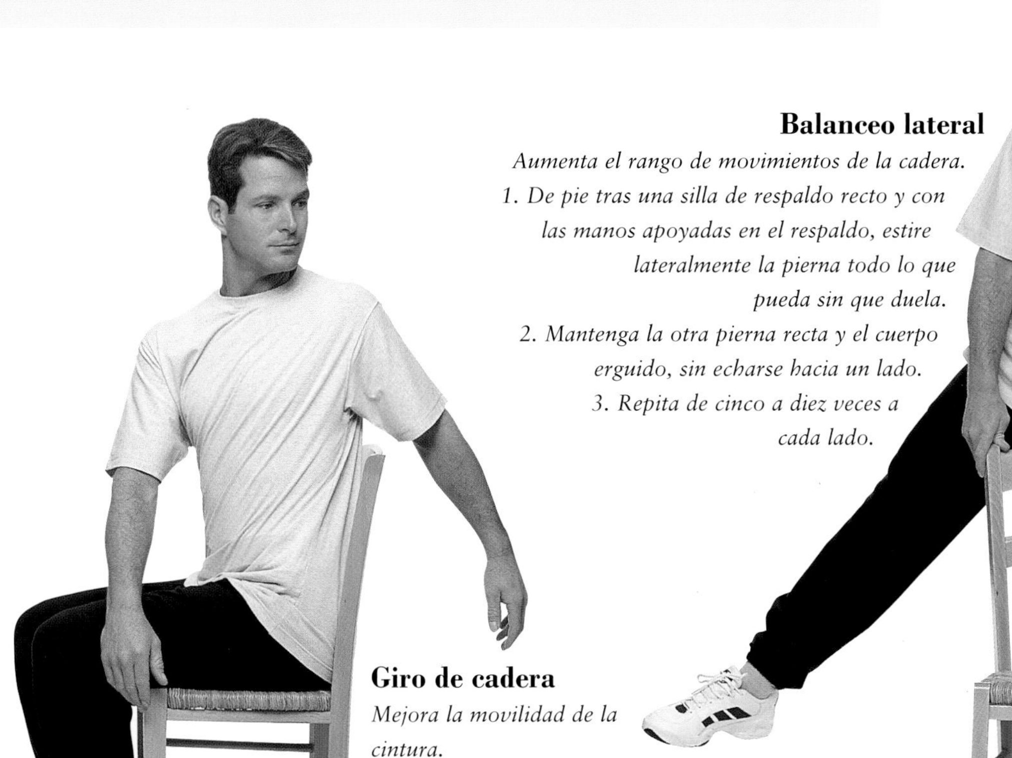

Balanceo lateral

Aumenta el rango de movimientos de la cadera.

1. De pie tras una silla de respaldo recto y con las manos apoyadas en el respaldo, estire lateralmente la pierna todo lo que pueda sin que duela.

2. Mantenga la otra pierna recta y el cuerpo erguido, sin echarse hacia un lado.

3. Repita de cinco a diez veces a cada lado.

Giro de cadera

Mejora la movilidad de la cintura.

1. Sentado en una silla de respaldo recto con los brazos colgando a los lados, gire el tronco hacia la izquierda mientras pasa el brazo izquierdo por encima del respaldo de la silla y coloca el brazo derecho sobre el muslo izquierdo.

2. Repita de cinco a diez veces a cada lado.

El ejercicio

Empiece siempre los ejercicios de estiramientos levantando un pequeño peso.

• Los ejercicios de fortalecimiento y tonificación muscular son útiles cuando se ha perdido fuerza en alguna articulación. Contraen la musculatura alrededor de la articulación sin mover la propia articulación, aumentando así la fuerza muscular. Se empieza por realizar estos ejercicios una vez al día, contrayendo los músculos uno o dos segundos. Según coja fuerza, aguante hasta seis segundos, después relájese y repita cuatro veces, dos veces al día.
• Los ejercicios aeróbicos o de resistencia mejoran todas las funciones en general, favorecen la tonificación cardiovascular, aumentan la fuerza ósea y reducen la fatiga. Ayudan a reducir la inflamación en las articulaciones y mantienen el peso a raya. Los ejercicios aeróbicos son más activos, como caminar, correr, nadar, aeróbic normal o acuático, o montar en bici. Practique estos ejercicios durante 20 min., dos o tres veces por semana.

Sacar el mayor partido de los ejercicios

• No espere milagros de inmediato. Si ha perdido movilidad en las articulaciones, puede que tarde tiempo en recuperarla.
• Empiece por realizar ejercicios que estiren y relajen los músculos, tendones y ligamentos tensos.
• Comience por una serie de ejercicios fáciles y de amplitud de movimientos.
• Cuando se sienta preparado, incorpore algún ejercicio aeróbico suave.
• Si disfruta con el ejercicio, le resultará más fácil ser constante.
• Descanse cuando lo necesite. Hay que procurar alcanzar un equilibrio entre el ejercicio y el descanso.
• Es normal que sienta alguna incomodidad, pero, si siente dolor, deje de realizar el ejercicio.

¿Cuánto ejercicio debería hacer?

Depende de su estado de forma y de la gravedad de la artritis. Lo ideal es que realice algún ejercicio de resistencia dos veces por semana, y ejercicios de estiramiento cada día. Puede que se sienta cansado, pero hacer un poco de resistencia, como un paseo corto, seguramente reducirá su fatiga.

Sin embargo, no se exceda. Si siente dolor dos horas después de hacer ejercicio, haga menos la próxima vez. Las señales de alarma de que se ha excedido incluyen fatiga inusual o persistente, articulaciones inflamadas o una menor amplitud de movimientos. Si las articulaciones duelen, se inflaman o enrojecen... ¡STOP!

Ejercicios adecuados en caso de artritis

Caminar: Es un ejercicio ideal para los artríticos. Requiere "levantar" peso y utiliza casi todos los músculos principales del cuerpo. Resulta sencillo incorporar el paseo a la rutina diaria, fuerza muy poco las articulaciones y los músculos, y también contribuye a la pérdida de peso.

Si pasea por el campo, le ayudará a fortalecer los músculos de las piernas y los muslos, lo que a su vez estabilizará las articulaciones de las piernas, sobre todo de las rodillas.

Dedique unos 10 o 15 minutos a ejercicios de calentamiento, estirando suavemente los músculos de brazos y piernas. Empiece por caminar tranquilamente durante unos cinco minutos, aumentando gradualmente la velocidad. Procure mantener este ritmo durante unos 15 o 20 minutos. Durante los cinco minutos finales, vuelva a disminuir el ritmo. Cuando termine, estire durante unos 5 o 10 minutos para soltar los músculos. Si se olvida de estirar y empieza a sentir dolor, párese.

Si no está habituado al ejercicio, empiece lentamente y aumente poco a poco el ritmo. Empiece por un paseo de 15 a 30 minutos, tres veces por semana. A medida que mejore su forma física, camine durante más tiempo, y por algún terreno irregular. Si le duele, no se fuerce.

No tardará mucho tiempo en notar la mejoría. Si camina con regularidad, debería notarlo en un mes. Puede que pierda peso, tenga más energía y duerma mejor.

Aunque no pierda peso, al tonificarse los músculos, parecerá más delgado. También sentirá la satisfacción de saber que hace algo por aliviar el dolor de la artritis. Si convierte el caminar en un hábito regular, es más probable que mantenga la constancia.

Ejercicios en el agua: En el agua, el cuerpo no pesa, con lo cual se pueden hacer más movimientos con menos dolor.

La natación es un ejercicio excelente, ya que ejercita todo el cuerpo y, además, el agua soporta el peso. Algunos hospitales tienen una piscina de hidroterapia y su médico puede remitirle a ella. Muchos polideportivos ofrecen clases de acuaeróbic impartidas por profesores cualificados. Será más divertido acudir en compañía de otra persona que padezca artritis. Tenga cuidado con no excederse en el agua.

Golf: Si le gusta el golf, pero padece artritis en las manos, puede forrar el mango de los palos con espuma para reducir la presión sobre las articulaciones. En lugar de llevar los palos, alquile un cochecito. Asegúrese de calentar bien antes y de incluir estiramientos de espalda, caderas y hombros, así como de codos, muñecas y manos. Un baño o ducha caliente antes de jugar también puede ayudarlo a sentirse más flexible.

Otros ejercicios adecuados son ciclismo, danzaterapia, tai chi y yoga.

Ejercicio en compañía

Pregunte en su asociación local de artríticos si hay algún programa de ejercicios en su zona. Muchas personas disfrutan con el ejercicio en grupo y resulta una actividad saludable.

Descubrir más de

La fitoterapia y el ejercicio	*118–119*
El ejercicio	*150–151*

La artritis no tiene por qué impedirnos practicar nuestros deportes preferidos, como el golf, pero siempre hay que buscar el consejo del médico. Antes de empezar, siempre debe calentar.

Ayudas y útiles

Los dispositivos que se colocan sobre las tapas permiten un mejor agarre y alivian el dolor y la frustración al intentar abrir un tarro.

No importa en qué medida le afecte la artritis, siempre tendrá la posibilidad de encontrar una ayuda, útil o instrumento que le allane los problemas y le haga la vida más fácil. Existe una gran variedad de aparatos y cada vez son más sencillos de conseguir. Puede comprar muchos artilugios en las tiendas o realizar pedidos por catálogo.

Antes de invertir en algún aparato, pídale consejo al terapeuta de los servicios sociales de su ayuntamiento. Él visitará su casa y le aconsejará sobre los aparatos y el equipamiento que necesite, y cómo debe utilizarlos. Algunos objetos, como los pasamanos, pueden encontrarse gratis. A veces se puede pedir prestado el equipamiento en la oficina de servicios sociales, o en el hospital local.

Un recogedor con mango largo facilitará las tareas del hogar.

La ayuda de los servicios sociales

Su médico tendrá que informar a las autoridades locales sobre su grado de incapacidad. Debería reunirse tanto con un terapeuta ocupacional como con un asistente social. El terapeuta lo orientará sobre las ayudas y útiles más adecuados en su caso. El asistente social le informará sobre los cuidados que necesitará. Puede que le asignen una asistenta que se ocupe de las tareas básicas del hogar, la compra y la comida. También puede que le asignen un servicio de comidas a domicilio.

Si su casa necesita alguna obra, podrá realizarse bajo los consejos del terapeuta ocupacional. Si exige cambios estructurales de importancia, puede solicitar una ayuda económica.

Útiles para las actividades domésticas cotidianas

- Un útil para alcanzar objetos consiste en un palo largo con una tenaza en un extremo. Le ayudará a alcanzar objetos sin tener que agacharse ni estirarse para recoger cosas del suelo o de las estanterías.
- Enchufes con asas. Si los enchufes están demasiado bajos, pida al electricista que los coloque más arriba en la pared, por ejemplo, a la altura de la cintura, para que resulten más fáciles de alcanzar.
- Si los interruptores de la luz son demasiado engorrosos de manipular, pueden sustituirse por pomos giratorios. También se puede instalar un cordón, para tirar de él, en cada habitación.
- Instale un termostato para mantener la habitación a temperatura constante. Así no tendrá que adaptar los interruptores y los pomos del radiador.
- Se pueden colocar giradores en los pomos de las puertas, y agarradores en las llaves, para darle mayor poder de sujeción. Los picaportes de palanca son más fáciles de usar que los de pomo.
- Los giradores para grifos tiene unos mangos largos que pueden girarse con el dorso de la mano, codo o muñeca.
- Instale un cesto bajo el buzón de correos para no tener que inclinarse para recoger el correo.

El equipamiento de la cocina

- Los taburetes altos le permitirán sentarse mientras trabaja en la cocina.
- Las cafeteras con dispensador evitan tener que levantarlas.
- Existen dispositivos que ayudan a abrir tarros y latas.

• Los cazos y las ollas deberían tener asas a ambos lados. Coloque un cesto dentro de la cacerola para hacer más sencilla la operación de escurrir las verduras.
• Existen máquinas que ahorran trabajo y nos facilitan la vida, como el robot de cocina, la lavadora automática o el lavaplatos.
• Las tablas rugosas fijan los alimentos y dejan las manos libres, y los peladores arqueados de patatas no fuerzan las muñecas. Los cuencos se pueden poner sobre alfombrillas antideslizantes.
• Es mejor un carrito que una bandeja.
• Existen tazas con dos asas y cubiertos fáciles de sujetar.

El cuarto de baño

• Un inodoro elevado es útil en caso de rodillas y caderas rígidas. Los pasamanos junto al inodoro facilitan la operación de sentarse y levantarse. También existen inodoros para utilizar de pie.
• Existen sillas con orinal que pueden colocarse junto a la cama para no tener que desplazarse hasta el baño. Las cuñas pueden utilizarse en la cama.
• Un pequeño escalón, un pasamanos y una alfombrilla antideslizante facilitarán la entrada y salida de la bañera.
• Se puede instalar un elevador o montacargas para bañarse sin ayuda.
• La ducha será más sencilla con un asiento dentro de la cabina. Se fabrican duchas para personas incapacitadas.

Por toda la casa

• Existen ayudas para caminar, como bastones, muletas y andadores.
• Las sillas elevadoras para escaleras permiten deslizarse por la barandilla.
• Las barandillas deben situarse a ambos lados de los peldaños. Si no puede subir y bajar escalones, precisaría una rampa.
• Una silla de ruedas requiere mucho sitio para moverse, y quizá necesite modificar algunas cosas en la casa, como ensanchar las puertas o colocar rampas.

El mobiliario

• Las sillas deben ser de respaldo recto y con reposabrazos. Se puede elevar una silla baja colocando bloques bajo las patas. Existen sillas electrónicas que le ayudarán a ponerse en pie.
• Las camas deben tener una altura adecuada, ya que las muy bajas impiden levantarse cómodamente. Los colchones deben ser lo bastante firmes para aguantar la columna sin hundirse. Las camas ajustables permiten elegir la posición más cómoda pulsando un botón. Existen camas gemelas con doble control para que cada miembro de la pareja pueda colocarse en la postura que le resulte más cómoda. Un elevador de piernas le permitirá levantar las piernas débiles o doloridas para poder acostarse.

Los enchufes con asas permiten un mejor agarre. Si son difíciles de alcanzar, puede hacer que los muevan de sitio.

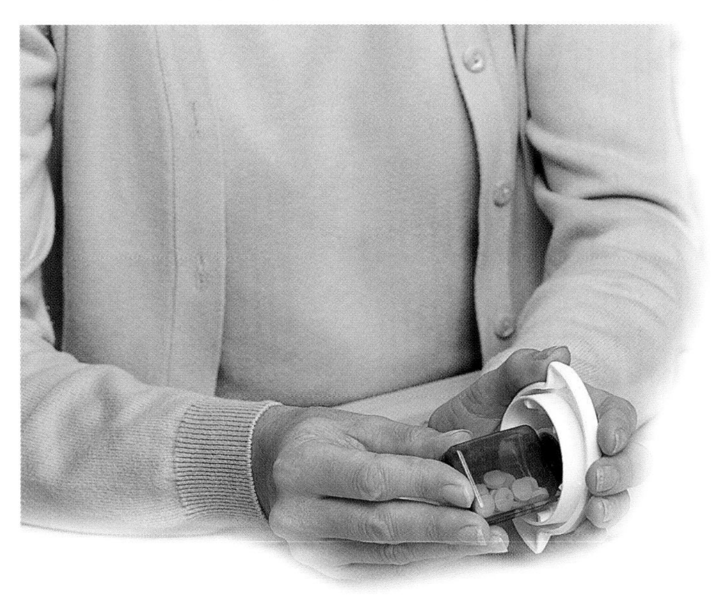

Existen utensilios para ayudar a abrir botellas y frascos de medicinas.

Glosario

analgésico: sustancia o medicamento que alivia el dolor.

antiinflamatorio: medicamentos diseñados para reducir la inflamación y aliviar el dolor.

artritis reumatoide: la forma más habitual de artritis inflamatoria en la que se produce un engrosamiento de la membrana sinovial.

artritis reumatoide juvenil: uno de los varios tipos de artritis que sufren los niños.

artroscopio: instrumento de fibra óptica que se introduce en una articulación a través de una pequeña incisión y que permite al cirujano examinar la articulación.

cartílago: recubrimiento resistente y resbaladizo de los extremos de dos huesos, donde se juntan para formar una articulación.

chi: la energía vital universal según la medicina tradicional china, también llamada qi.

corticosteroides: hormonas producidas por el organismo, y también sintetizadas para usar como antiinflamatorios.

espondilitis anquilosante: una forma de artritis en la que las articulaciones de la columna se vuelven gradualmente rígidas.

ligamento: banda de tejido fibroso y resistente que sujeta los huesos en la articulación y controla su movimiento.

líquido sinovial: líquido claro producido por la membrana sinovial que lubrica las articulaciones.

lupus: enfermedad autoinmune, también conocida como lupus eritematoso sistémico.

meridiano: un canal que discurre por el cuerpo y que contiene la fuerza vital, qi o chi. Existen 14 meridianos principales.

nódulos de Heberden: crecimientos óseos en los dedos de las manos y síntoma de osteoartritis.

osteoartritis: la forma más común de artritis degenerativa en la que un cartílago sano empieza a romperse y descamarse.

osteofito: crecimiento óseo con forma de espolón sobre una vértebra o alrededor de ella. Los osteofitos son un rasgo de la osteoartritis.

prana: energía vital fundamental del universo según la medicina ayurvédica, el sistema curativo tradicional de la India. En la medicina tradicional china se conoce como qi o chi.

puntos de acupuntura: puntos concretos a lo largo de los meridianos por los que fluye el qi o chi, la energía vital del universo.

qi: según la medicina tradicional china, es la energía vital fundamental del Universo, también denominada chi. Su equivalente en la medicina ayurvédica es el prana.

tendinitis: inflamación de un tendón.

tendón: banda de tejido resistente que conecta un músculo a un hueso.

tintura: remedio herbal preparado a partir de plantas molidas o trituradas e inmersas en una solución alcohólica. La mezcla se deja reposar durante varias semanas, antes de colarlo y tomarlo bebido.

tisana: infusión de un remedio herbal, preparada de manera similar a un té. Las plantas se dejan reposar en agua caliente durante unos 10 minutos y el líquido se bebe frío o caliente.

Recursos útiles

ACOARE
(Asociación Cordobesa de Artritis Reumatoide)
C. María Montessori s/n
14011 Córdoba
Tel.: (+34) 95 776 77 00
artritisacoare@terra.es

ACREAR
(Asociación de Ciudad Real de Artritis Reumatoide)
C. Hernán Pérez del Pulgar 6
13001 Ciudad Real
Tel.: (+34) 652 42 91 46
ayllcond@ono.com

LLRC
(Liga Reumatológica Catalana)
C. Llibertat 48
08012 Barcelona
Tel.: (+34) 93 207 77 78
www.lligareumatologica.org

CONFEPAR
(Confederación Española de Pacientes Reumáticos)
P.º Pintor Rosales 26
28008 Madrid
Tel.: (+34) 91 542 09 55
www.confepar.com

AECOS
(Asociación Española Contra la Osteoporosis)
C. Gil de Santivañes 6 - Bajo dcha.
28001 Madrid
Tel.: (+34) 91 431 22 58
www.aecos.es/

AESS
(Asociación Española del Síndrome de Sjögren)
C. Cea Bermúdez 14 A – 6.º
28003 Madrid
Tel.: (+34) 91 535 86 53
aessjogren@hotmail.com

LIRE
(Asociación española contra el reumatismo)
Plaza de las Labores 4 – 2.º B
28980 (Parla) Madrid
Tel.: (+34) 91 664 40 74
www.lire.es

Asociación Española de Reflexología
Avda. Peris y Valero 85, 1.º-1.ª
46006 Valencia
Tel.: (+34) 610 947 435
www.reflexologia.com.es

Asociación Española de Practicantes de Yoga
www.aepy.org

Asociación Española de Fisioterapeutas
www.aefi.net

Asociación Española de Médicos Naturistas
Apartado de correos 21122
28080 Madrid
Tel./Fax: (+34) 91 306 38 19
www.medicina-naturista.net

Asociación de Medicinas Complementarias
C. Prado de Torrejón 27
28224 (Pozuelo de Alarcón) Madrid
Tel.: (+34) 91 351 21 11
www.amcmh.org

Escuela de Terapias Naturales
C. Fortuny 7 - Bajo
28010 Madrid
Tel.: (+34) 91 702 48 21/22
www.etnaturales.com

Sociedad Española del Dolor (SED)
Urb. Las Chumberas 41 - 1.ºB
(San Cristobal de La Laguna)
Tenerife
Tel.: (+34) 687 422 344
www.sedolor.es/

Instituto de Psicología Baraka
C. Larramendi 2
20006 San Sebastián
Tel.: (+34) 94 345 65 56
www.barakaintegral.org

Centro de psicología Isep Clinic
En diversos puntos de España
www.isepclinic.es

Fundación Europea de Medicina Tradicional China
Centros en Madrid, Barcelona, Valencia, Amposta y Tarragona
www.mtc.es

Instituto Superior de Quiromasaje
C. Boix y Morer 3 – Post.
28003 Madrid
www.institutosuperiordequiromasaje.com

HIPOTERAPIA
Fundación Caballo amigo
C. Lope de Vega 36
28014 Madrid
Tel.: (+34) 608 714 375

MASAJES
Zensei
C. Blasco de Garay 64
28015 Madrid
Tel: (+34) 91 549 60 49
www.zensei.net

Índice